JN100554

人生を変える最強のコミュニティづくり

はじめに

あれ？音信不通…。三度目の不安がよぎった瞬間でした。有名企業が提供するプラットフォームで、流行りに乗って有料オンラインサロンを始めたのが、数ヶ月前。オンラインサロンを立ち上げる時にSNSから「是非一緒にやらせてください！」と応募がきたので、意気込んでスタートさせました。さぁこれからという時だったので、突然こんな形で終わってしまうとは全く予想していませんでしたが、意外にも私はまったく落ち込んでいなかったのです。もう翌日には、どうしたら唯一無二のコミュニティを作れるのか、4回目となる次の作戦を考えていました。

私は、2019年にパラレルキャリア推進委員会®という女性支援団体を立ち上げ、パラレルキャリアで女性の活躍を応援する女性専用のコミュニティ「エールプロジェクト」を設立しました。2023年5月時点で、メンバーは国内外から3000名以上が参加しています。エールプロジェクトでは、社会課題の解決に取り組んでいます。試行錯誤しながらも、人・情報・報酬が循環する仕組みをつくったことで、コミュニティの域を大きく超えた組織化を実現できました。コミュニティのメンバー同士で事業を立ち上げるなど、女性が活躍できる場を創出し、企業や自治体と様々な取り組みに挑戦しています。

今でこそ「エール」を合言葉に、メンバーが全国から日々増えているという大変ありがたいコミュニティになっていますが、最初から何もかもうまくいったわけではありません。どちらかというと、人よりも遠回りをしたと思います。そんな挫折からコミュニティ拡大を経験したノウハウを一冊にまとめました。

コミュニティをつくるのは難しい？

「コミュニティをつくってみたいなぁ…」。なんとなくでも、そう思ったことはありませんか？「知人以外で、気軽に集まってお酒を飲む仲間がいると楽しそうだな」とか、「同じような悩みを抱える働くママ同士で力を合わせたいな」、「趣味が同じ人達で、ひたすら共通の好きなことについて話をしたいな」といったことでも構いません。「目標に向かって一緒に進める人たちや、居心地のいい空間・時間を共有できる仲間がいれば、今よりもっと充実感を味わえるのに」、と思ったことが一度はあるのではないでしょうか。

私も同じです。いえ、もしかしたら他の人より私の方が、もっと漠然としていたかもしれませんでした。はじめはなんとなく「働く女性にパラレルキャリアを広めたい」と思ったところからのスタートでした。ビジョンもミッションもバリューも、コンセプトやテーマも、ましてや人生を変えるほどの大きな志を持っていたわけでもありません。会社員だった頃は、会社以外の知り合いが多い方ではなく、プライベートで人を集めてイベントをするのも難しかったぐらいです。

そんな私がパラレルキャリアのコミュニティを立ち上げ、世界中の３０００名を超えるメンバーと一緒に、女性の活躍を応援する日々を送ったり、２０２５年大阪・関西万博のオフィシャル共創パートナーとして大手企業とイベントを開催したり、１００社以上に定期購読してもらえる雑誌を発行したり、さらにコミュニティ専用アプリまで自作してしまうなんて、誰が想像できたでしょうか。

大変ありがたいことに、最近では事業戦略や構築、コミュニティづくりやチームづくりについて、企業や起業家の方から相談を受ける機会が増えてきました。私が代表を務めるパラレルキャリア推進委員会®は、オンラインコミュニティの中でも、最も「メンバーの自主性が高いコミュニティ」という特長を持ち合わせています。そのため昔は王道だったピラミッド型ヒエラルキー組織で成果が出しにくくなっている企業にとっては、ユニークで新しいチームビルディングが参考になるようです。また取材いただいたメディアの方には、「今後到来する新時代の流れに乗るヒントがたくさん詰まっている」と仰っていただけたこともあります。

コミュニティのつくり方について話していると、「それは美宝さんだからできたんでしょ」と言われることがありますが、そんなことはありません。なぜなら、私は有名インフルエンサーではありませんし、名門大学や一流企業出身という華麗な経歴があるわけでもありません。なにより、立ち上げたコミュニティは過去3回も継続・発展させることができず、途中で挫折してしまったという経験があるぐらいです。

そんなごく普通に働く女性の一人だった私が、失敗を重ねながら何度も試行錯誤して得ることができたコミュニティづくりのポイントや運営知識、経験、ノウハウなど、すべてを公開します。本書を参考にすれば、スムーズに最強のコミュニティがつくれるようになるでしょう。コミュニティを立ち上げたいという方にとって、本書が少しでもお役に立てることを願っています。

［第1章］私もできる？コミュニティづくり

［第2章］

最強のコミュニティづくり 準備編 ―プレ期―

［第3章］

最強のコミュニティづくり 実践編 ―スタート期―

［第4章］

最強のコミュニティづくり 成長編 ―スケール期―

［第5章］

コミュニティで人生が変わった! 7名の女性たち

［第1章］

私もできる？ コミュニティづくり

Q なぜコミュニティが必要なの？
A つながりや関係構築が大切な時代だから

「コミュニティ」というと、著名人を中心にオンライン上で集うオンラインサロンが象徴的なスタイルなので、フォロワーが多くない方やSNSをあまり活用していない方にとっては、自分から遠い存在に聞こえてしまうかもしれません。しかし、意識していないだけで、実は誰もが一度は属した経験があり、日常でも頻繁に関わっているのが「コミュニティ」なのです。

例えば大昔からある、地域を軸とした「ムラ（村）」もコミュニティの一つです。最も身近な例では「家族」があります。「学校」は多くの人が所属するコミュニティですし、「職場」も事業を軸としたコミュニティになります。時代によって、集う場所、属する人、目的は変化し多様化しているので、コミュニティが何なのか、自分が何かのコミュニティに属しているのか、など実生活において分かりにくくなっているかもしれませんが、私なりに簡単に言い換えると「コミュニティ」＝「つながり」だと思います。

ビジネスシーンにおいても、この「つながり」は最も重要な要素であり、実現したいことが大きくなればなるほど、無視できない必要条件になります。会社組織では、取引先やクライアントといった外部の「つながり」だけでなく、部署やチームなど、会社で働く人の内部の「つながり」もなければ事業継続が困難です。人と人との「つながり」がなければどんなビジネスも成立しないのです。

自分でビジネスをした経験がある人なら誰でも、人とのつながりの重要性を実感したことがあると思います。しかし「つながり」をつくろうとした結果、失敗してしまったことはありませんか？「とにかく人脈だ！」と異業種交流会に参加しているうちに、名刺集めに躍起になってしまったり、人や仕事を紹介し合う会に参加したら、いつの間にかノルマのような紹介先探しだけに時間を費やしてしまったりと、「つながり」の形を間違えてしまうことです。

また、「つながり」の本質を理解せず、表面だけを真似してコミュニティをつくり、自分の商品やサービスを購入してもらうことを目的とした儲け先行型のツールとして活用することは、私が提唱するコミュニティの在り方とは違います。

コミュニティは「つながり」ですが、一つの共同体としての側面もあります。個人でも企業でも、自分がコミュニティの中心になっていた場合、そのコミュニティに属してもらっているメンバーは、一緒に発展していく仲間になります。一方通行ではなく、主宰者も参加者もお互いＧｉｖｅ－Ｇｉｖｅの関係を築けること、そしてプラスの循環を生み出せることがコミュニティの意義であり、在り方だと思います。

Q カリスマ的な存在じゃないとコミュニティは立ち上げられない？

A NO！「カリスマ力」より「設計力」

コミュニティづくりについては、インフルエンサーのようにフォロワーがたくさんいないといけないのでは？有名人のように知名度がある人じゃないと向いていないのでは？など、コミュニティのオーナー（主宰者）として周りの人を導く才能や魅力がないといけないと心配されている方が多くいらっしゃいます。しかし、安心してください。カリスマ性がなくても大丈夫です。

確かに世の中でよく目にする人気のオンラインサロンは、著名人や、派手な発信をする凄そうな人など、キラリと光る普通の人とは違う魅力を持った一人を中心としていることが多いです。そのため、カリスマ的な存在感がないといけないと感じてしまうかもしれません。しかし、コミュニティづくりにおいては、必ずしもカリスマ性が必要ではないと私は思います。もちろん影響力や知名度でいうと、「ない」よりは「ある」人のほうが目に留まりやすいので、有利に感じる場面はあると思いますが、必須条件ではありません。知名度がなくても、SNSで影響力を持っていなくても、今まで一度もリーダー経験がなくても、職場以外の知人がほぼいなくても、コミュニティをつくることにおいては、全く問題ありません。私自身、そういったカリスマではないのに、こうして3000名以上の働く女性に参加していただいているコミュニティをつくることができています。

もしもあなたが今、既にカリスマ的存在だとしたら、大変申し訳ございませんが、本書は一般の方がコミュニティをつくり拡大していくための内容になっているので、ここで閉じていただいた方がいいかもしれません。もしもあなたが、今はまだカリスマではないステージにいらっしゃるのであれば、必ずお役に立てる内容になっていますので、是非読み進めていただければと思います。ここから先は、カリスマ型ではない普通の人向けのコミュニティづくりについてお伝えします。

なぜ、私がカリスマでもないのに、成長し続けるコミュニティをつくることができたのかというと、答えは「設計」を最初にしっかり行なったからです。「設計」は、コミュニティづくりで最も重要なポイントであり根幹です。お花で例えると、綺麗なお花が咲く種を植えても、ちゃんとした土の中でなければ、どんなに水や太陽があってもお花は咲きません。「設計」は「お花にとっての土」と同じように、要になる部分なのです。「設計」なしにその場のノリや勢いで継続的に拡大し続けるコミュニティはつくれません。実際、私が過去上手くいかなかったコミュニティでは、この「設計」の重要性を理解せず「想い」だけでスタートしてしまったことが原因でした。

「パラレルキャリアを広めたい！」「同じ働く女性の活躍を応援したい！」という想いだけで、最初のコミュニティをスタートさせた私は、熱量だけは誰にも負けない自信はありました。しかし、毎月食事会や交流会を企画運営するだけで、参加してくれた方達にどのようにコミュニティを活用してもらえばいいのか、どうやって働く女性の活躍へつなげたらいいのかを何も理解せず、1年後に自然消滅させてしまいます。人が集まる「場」を提供したこと以外、何もできていなかったのです。

その後、2回目のコミュニティを立ち上げ、また同じような流れで消滅し、3回目のコミュニティも立ち上げたもののうまく機能しないという結果になりました。毎回自分なりに改善は行なってコミュニティをやり直していましたが、3回もうまくいかないということは、3つに共通する大切な何かが足りていないのだろうということだけはわかりました。

ちょうど3回目のコミュニティが失敗に終わった時期は、有料オンラインサロンが増えてきた頃で、カリスマ的存在の方が中心になって情報発信を行い、カリスマに憧れた人がその周りに集まる、という構造が主流になっていました。しかし、私が目指したい世界は

主なオンラインサロンスタイル

（情報提供型）

カリスマ型

特徴

- ▶基本的に一人で集客
- ▶オーナーの求心力が高い
- ▶イベント参加率が高い
- ▶頻繁に情報提供が必要
- ▶メンバーはファンが中心
- ▶ファン化が継続のポイント

メンバー共創型

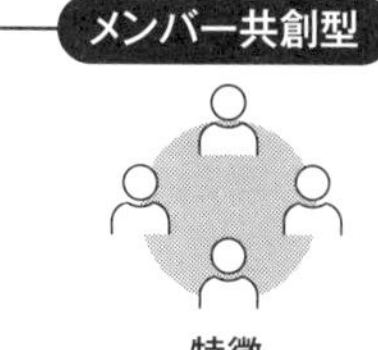

特徴

- ▶集客はメンバー全員で
- ▶全員が主役で、全員が発信
- ▶イベント参加率は波がある
- ▶交流からの情報交換が必要
- ▶メンバーはビジョン共感者
- ▶共感が継続のポイント

自分が目立つことでも有名になることでもありませんでした。

そこでカリスマ型コミュニティとは真逆のことをしてみようという発想に至ったのです。カリスマ型が一人を中心にしているとするならば、その逆は、参加者みんなが主役になれるような「共につくる共創型」のコミュニティであると考えました。そのためには何が必要なのか、想いや熱量だけではなくコミュニティとしての存在意義やそこでどんなことを目指していくのか、何を実現させるのか、などをしっかり練ることでコミュニティの「設計」を行いました。

詳しい設計の方法は、次の第2章で述べますが、「設計」を行なってからコミュニティをスタートさせたことで、4回目にして3000名の方に参加していただけるコミュニティを持つことができたのです。

Q 既にコミュニティがたくさんあるけど、これからつくっても遅くない？

A 本書があれば大丈夫！コミュニティブームは終わらない！

なぜコミュニティが必要なのか、なぜ誰でもつくれるのかは、ご理解いただけたと思います。ここで、ビジネス経験豊富な方やマーケティング知識がある方は、「たくさんの人にニーズがある分野のコミュニティにしないといけないのではないか？」とか、「他と差別化するために尖ったテーマのコミュニティにしないといけないのではないか？」などと思われるかもしれません。様々な視点から分析して戦略を練って「何」のコミュニティをつくるのか検討するでしょう。

確かに、専門的な知識や経験も役に立つとは思いますが、コミュニティに限っていうなら、それらは必須ではありません。誰も興味がないかもしれないマニアックな分野でもいいし、世の中にありふれた「あるある」なことでも全く問題ないのです。また、自分はビジネスセンスがないとか、何も人より秀でたところがないなど、今の自分に自信が持てなくても全く問題ありません。大切なのは、あなたが今「これなら情熱を注げる！」と思えるコトかどうか、です。

「何」のコミュニティにするのかを決める時は「頭」で考えるより「心」で感じることを優先しましょう。なぜなら、コミュニティにおいては「共感」が非常に重要な要素で、人を巻き込み共感してもらうには、何よりもコミュニティオーナーの熱量が大切だからです。特に初期のステージでは、同じ価値観や目的を持った人で形成する方が結束力も強くなります。つい損得を考えてしまう「頭」より、情熱を注げる「心」で決める方が、人の共感が起こしやすく、心と心でつながる仲間を見つけることができます。結果として、それが成功につながるでしょう。

時代と共にテクノロジーが進化し、職場でもＡＩやリモートが導入されるなど、あらゆるものが変わっていく中、今はコミュニティブームかもしれないけど、10年先はどうなっているかわからないのでは？と心配される方もいると思います。私は「絶対」と言い切れますが、コミュニティブームは終わりません。むしろ、テクノロジーが進むにつれて加速すると思っています。

人間は、本当に一人だけで孤立して生きていくのは困難です。やはり社会とつながっていたいし、直接的にも間接的にも誰かと関わり合いながら生きていくことを求めています。

実際、縄文時代から人々は共同で暮らしていた遺跡も発掘されており、コミュニティが形成されていたことがわかっています。時代と共にコミュニティの形は変わりますが、コミュニティがなくなることはないのです。

現に今の時代はＳＮＳによって、物理的、地理的な制約は取り除かれ、さらにネットワークが広がり、縄文時代の比にならないほどコミュニティは進化しています。この先も同じです。もしかしたら、近い未来はメタバースなどプラットフォーム（場）は変わると思いますが、人とつながるコミュニティという本質は、人がいるかぎり永久に無くなることはありません。そのため、今からコミュニティをつくっても決して遅くはないのです。

Q コミュニティづくりで得られるものは？

A 人生の縮図といえる経験

コミュニティは、あなたが意図的につくろうとしなくても勝手にできるものです。私たちが暮らす実社会においても、コミュニティは世界中で自然形成されています。人と人が集まって関係性を築き、共通の価値観が生まれ、お互いに支え合ったり利益を追求したりしながらコミュニティという共同体は日々つくられていきます。そのコミュニティを、自然発生ではなく、戦略的につくる側になるということは、小さな社会をつくることとほぼ同じです。社会をつくる過程で得られる経験は、人生そのものと言っても過言ではありません。人生の本質をまさに実感することができるのです。

人生の本質って何?という問いは、非常に哲学的であり、様々な観点で捉えることができるので、答えも多様に存在しています。問に対する答えをいくつかあげると、成長、自己実現、幸福、喜び、人とのつながり、貢献などが代表的ですが、実はここにあげたすべての要素は、コミュニティをつくっていくプロセスで、あなたが当事者として実感できることです。自分の可能性を最大限に高め、自分の存在意義を見出すことを目的とする人生(成長&自己実現)、自分も他者も幸福感を得ることを目的とする人生(幸福&喜び)、他者と過ごす共同社会の中で自分の価値や喜びを見出す人生(つながり)、誰かの役に立つことを目的とした人生(貢献)、これらすべてがコミュニティをつくる過程であなたが経験していくことになります。まさに、人生の本質と言われることがすべて詰まっているのが、コミュニティづくりなのです。

コミュニティづくりを人生そのものと例えたことにより、そんなに大それたことをしようとしているのか、と逆に腰が引けてしまうかもしれませんが、ご安心ください。人生の本質にフォーカスしてコミュニティをつくりましょうという話をしているのではありません。コミュニティをつくることに専念するだけで、副産物として人生の縮図といえる経験ができるということです。また、その過程では他では絶対に得られないことを学べ、なにものにも代え難い価値を感じることができるでしょう。

もし今、あなたが自分のコミュニティをつくらなかったとしても、将来のあなたは、99・9％以上の確率で誰かがつくったコミュニティに属することになると思います。なぜなら、規模の大小はありますが、人とコミュニティは切っても切れない関係にあるからです。

人間は社会的な存在であり、コミュニティを通して豊かさや生きる意味を見いだす傾向にあります。コミュニティを完全に無視して、無関係なところで生きていくことは不可能に近いです。だとしたら、自分に共感してくれる仲間と一緒に成長していく社会をつくった方が、この先の人生の充実度や満足度が違ってくるとは思いませんか。

不思議なもので出来ない理由や不安要素は、探せば探すほどいくらでも無限に出てくるものです。最初の一歩は、たった一歩なのにとても勇気がいることで、なかなか足が進まないでしょう。でも実際に踏み出してみると、踏み出す前にあれだけ心配していたのが嘘のように、意外となんとかなってしまうものです。本書を手に取ったあなたは、もう既に半歩は前に出ていることになります。この記念すべき日をきっかけに、是非コミュニティづくりに挑戦してみてください。

Q まず何からはじめたらいい？

A ステージごとのやることを整理、把握

何か新しいことを始める時は、先に全体像を知ることから始めると、スムーズに理解が進みます。広く浅くザックリでいいので全体を把握することで、その構造や各々の関係性などがわかり情報整理もしやすくなります。コミュニティをつくる時も同じなので、まずは全体像から簡単に流れをつかむといいでしょう。その後、本書のステップに沿って実践していくと、最強のコミュニティがつくりやすくなります。

では、早速全体像から始めたいと思います。コミュニティづくりには、大きく3つ、「プレ期」「スタート期」「スケール期」のステージがあり、その後ステージアップとスケールを繰り返していきます。

「プレ期」は、自分一人で大枠を設計して基礎をつくり、土台を整える準備期間です。家で例えると、家を建てる土地の場所を選び、土台の基礎工事までにあたります。コミュ

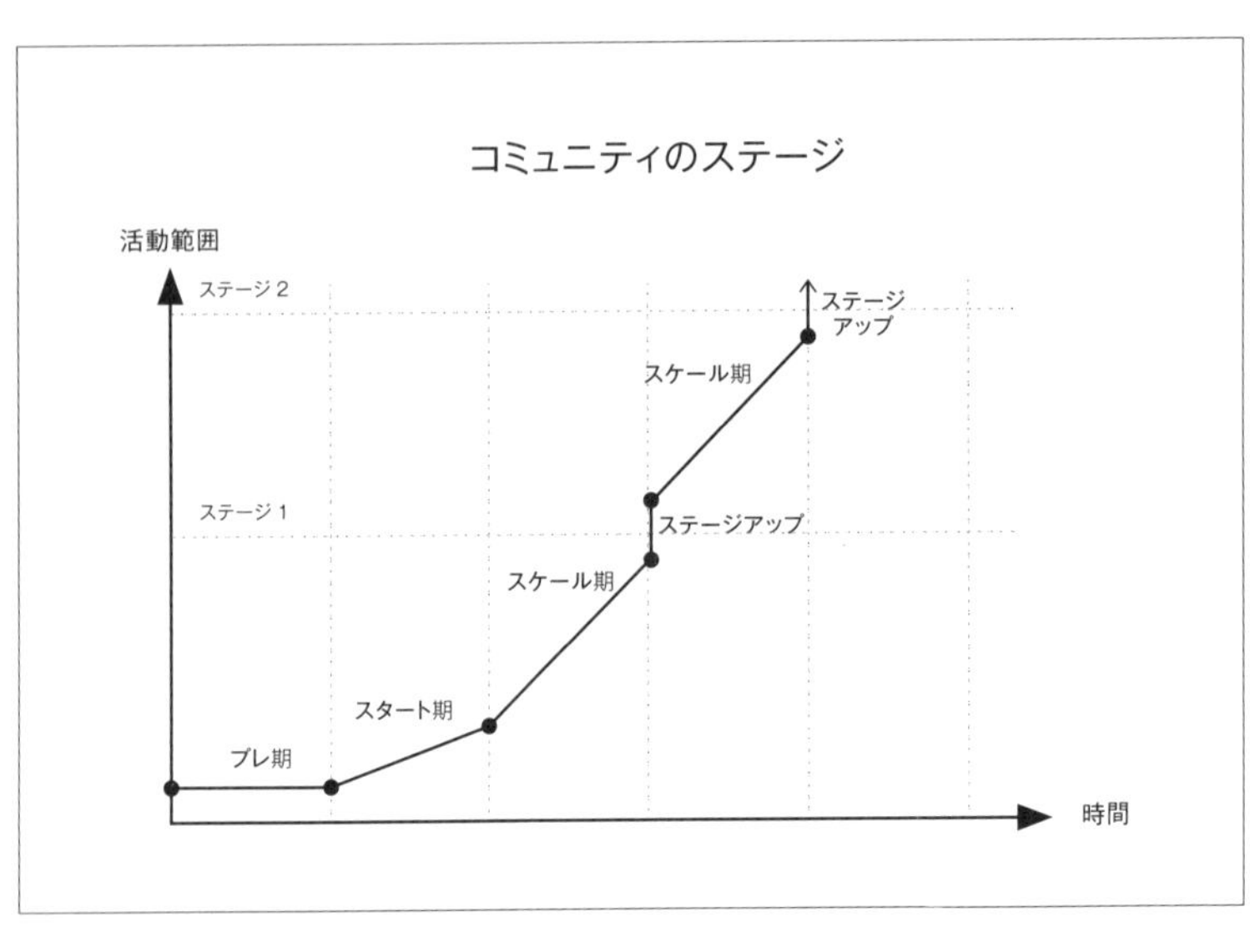

ニティをつくって実現したいことが何なのか、自分と向き合ってじっくり考えていきましょう。

コミュニティはつくりたいけど、具体的にどんなコミュニティをつくりたいのか、どう設計していいのか、まだよくわからない、と心配になった方もご安心ください。そのために本書があります。本書を読み進めながら核となる部分を決めましょう。この時、できるだけ一人で決めることをおすすめします。なぜなら、自分が実現したいことに正解、不正解はないので、「〇〇なコミュニティって変に思われるかな」、と周囲を気にする必要はないためです。色々な人の意見を聞くこともアイディアを広げるという意味では大切ですが、あくまでも参考意見程度にして、最終決断は自分が思った通りにすることが大切です。あまり人の意見を聞きすぎると、自分のアイディアや想いが希薄になったり、優柔不断になったりしてしまうので、注意しましょう。

次の「スタート期」は、創業メンバーを集めて運営に必要なことを整え、実際に運営を始めるステージです。家で例えると、基礎の上に柱を立てて骨組みをつくる木工事にあたります。プレ期で決めたダイヤの原石のようなアイディアを仲間と一緒に磨いて、コミュニティの骨格をつくっていきます。またコミュニティの運営も始まるので、考えること、決めること、やること、あらゆることを創業メンバーと取り組んで、揺るがない軸をつくっていきましょう。

最後の「スケール期」は、コミュニティで実現したいことを叶えるステージです。家で例えると、屋根や壁や窓をつくったり装飾を施して、人が住める家に整えていく外装工事にあたります。創業メンバーとコミュニティの運営をしながら、新たに見えてきた課題の改善を行い、コミュニティをどんどんバージョンアップさせていきましょう。継続させていくために時代に合わせた変化が必要な時もあるので、土台となっている軸はブラさず外側を適応させていくのがいいでしょう。

ザックリですが、このように3つのステージがあるので、それぞれの時期でステップごとにやることを実践していけば、コミュニティをつくることができます。そして、コミュニティをスケールさせることができれば、あとはビジョン達成に向けて、どんどんステージを上げていくだけです。では次の章から、プレ期、スタート期、スケール期でやることを具体的にお伝えしていきます。

[第2章]

最強のコミュニティづくり

準備編

—プレ期—

Q プレ期で最初に決めることは？

A ビジョン、ミッション、バリューを決める

プレ期において最重要なことは、ビジョン、ミッション、バリューの3つを決めておくことです。一度は聞いたことがあると思いますが、ビジョン、ミッション、バリュー（VMV）は、ビジネスシーンでもよく使われます。

簡単に説明すると、「ミッション」は、ビジョンを達成するための役割で、「バリュー」は、大切にする価値観、行動指針になります。つくる順番ですが、企業では、ミッションを先につくり、そのミッションを実行した結果どういう未来が待っているのかを考えてビジョンをつくる、というのが一般的なようです。しかし、コミュニティにおいては、「ビジョン」から先につくることをおすすめします。

なぜならミッションから先につくると、できることしかしないという枠を感じ、最初から可能性を狭めてしまうからです。イノベーションが起こるのは、限界を決めずに挑戦した結果であり、できることだけに限定していないからこそ、新しいステージへ辿り着くことができるのです。人が想像できることは全て実現できる、とも言われていますし、果てしない夢

の話だと思われたとしても、その夢に向かっていくことで、単なる夢物語ではなくなります。可能性に限界はない、という考えのもと、「ビジョン」から先につくりましょう。

具体的なビジョン・ミッション・バリュー（ＶＭＶ）のつくり方ですが、今の時代、基本的なことはインターネットで検索して出てくる情報がたくさんあります。しかし、日本語ではないからなのか、実は定義が一定ではなく、解釈も企業によってバラバラなことが多いです。「うちのビジョン、ミッション、バリューは、これです！」と言えば、そうなってしまうというのが現状なので、本書ではあえて省略しておきます。そのかわり、ＶＭＶをつくる時の大切なポイントをお伝えします。

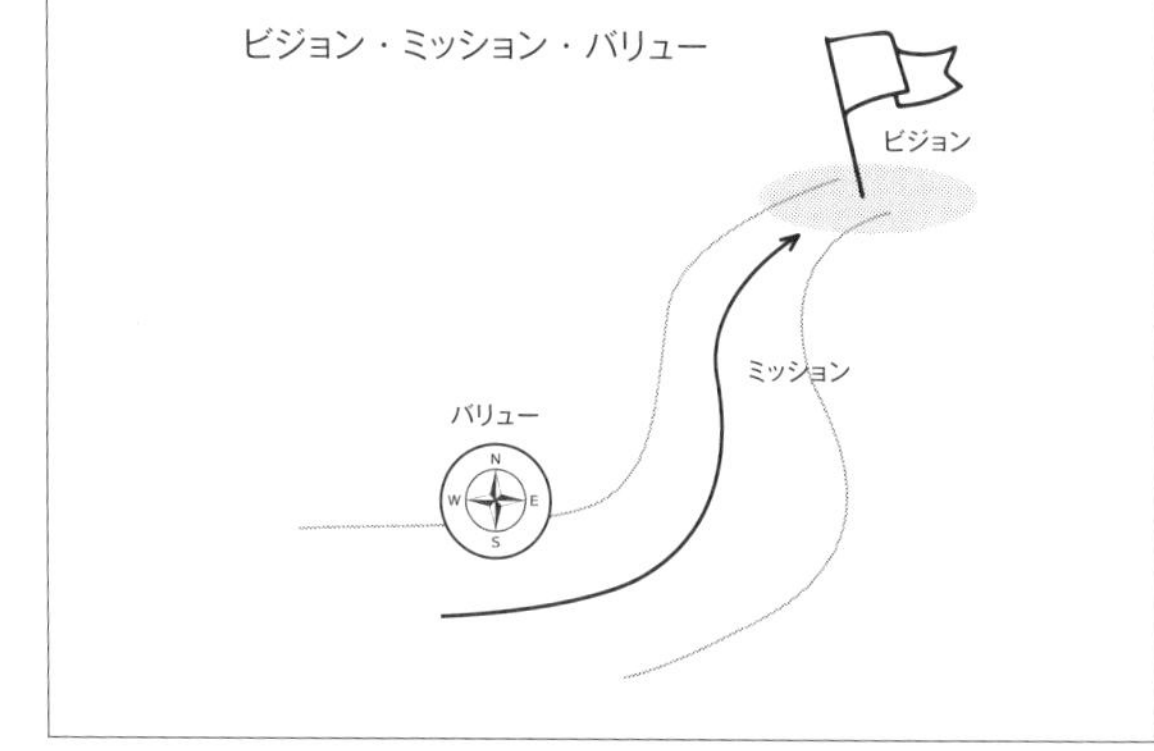

Q ビジョンをつくる時のポイントは？

A できる、できないではなくどういう未来にしたいかで決める

まずは最も大切なビジョンについてです。お正月に神様にお願い事をしたり、抱負を宣言したりしたことはありませんか？この祈願したことや宣言したことも、「ビジョン」の一種です。新年だけではなく、新年度が始まる4月や、一つ大人になる誕生日、新たな旅立ちとなる成人式や結婚式など、節目となるタイミングで「こうしたい・こうなりたい」と未来の自分をイメージすることが、日常レベルでいう「ビジョン」にあたります。

「ビジョン」とは、「実現したい未来の構想」のことです。ビジネスシーンではよく使われる言葉ですが、ビジョンは会社経営やビジネスをしている人だけに関係するものではありません。私たち自身も規模の大小や想いの強弱はありますが、日々の生活の中で一度は掲げたことがある身近なものなのです。

日常の生活で掲げるビジョンよりも、もっと長期的なスパンで考えた理想の未来イメージが、コーポレートサイトなどで見かける企業ビジョンです。この長期的なビジョンは、コミュニティづくりにおいても、最初に決めておきましょう。目指す理想のビジョンがあるからこそ、どうしたらそのビジョンを実現できるのか、という「ＨＯＷ」を考えることができるし、さらに「行動」に移すことができます。

例えば、初詣で「お金持ちになれますように！」と祈願した人のビジョンは、「お金持ちになる」ということです。この人がたまたま通りかかった宝くじ売り場で、一攫千金を狙って宝くじを買ったとすると、宝くじを買うという行動は、「お金持ちになる」という「ビジョン」があったから引き起こされた行動です。お金持ちになるために宝くじを買う方法が適切かどうかはわかりませんが、ビジョンがあったからアクションにつながったと言えます。もしお金持ちになるというビジョンを掲げていなければ、宝くじ売り場の前を通っても、立ち止まることなく通り過ぎていくでしょう。

このように、ビジョンがあることで、「その未来を実現するためには？」と考えるようになり、ビジョン実現につながると思ったことを「行動」に移していけるようになるのです。特に誰かと一緒に何かを成し遂げようとするシーンでは、ビジョンを明確に掲げているのと、いないのとでは結果が大きく変わってきます。あなたのコミュニティの未来像は、どういうコミュニティなのか、どんなことを目指していくのか、誰を幸せにするのか、など、明確なビジョンを掲げていきましょう。

さきほどビジョンは、「できる・できない」関係なく、自分が未来でどうなっていたいか、どんな未来を実現したいか、という観点で決めた方がいいとお伝えしました。しかし、来年度には達成できそうだったり、あまり努力しなくても簡単に越えられそうなハードルだった場合は、ビジョンとしては適しません。ビジョンをつくる時は、「ここ数年は絶対無理だろうけど、いつかそんな未来が来てほしい」というようなできる限り高い理想を掲げていきましょう。周りから「大風呂敷を広げすぎ」とか、「そんな綺麗ごと叶うわけない」と否定的な意見を言われたとしても、全然気にしなくて構いません。理想は高ければ高いほどいいでしょう。

ビジョンに掲げるテーマは、社会的な課題になりそうなジャンル、解決して欲しい人がいそうなジャンルから、自分がワクワクして熱くなれることを一つ選びましょう。社会課題は、必ずしも課題に感じている人が多い事柄でなければいけないわけではありません。困っている人が少数でも、それによって引き起こされる問題の深刻度が高ければ、社会課題になります。その社会課題を少しでも解決するために行動することは、あなたにとっても、コミュニティの仲間にとっても、とても意義のあることですし、活動のモチベーションも上がることでしょう。

参考までにエールプロジェクトの場合は、日本の女性はまだ活躍しにくいという社会課題に対し、「女性がいくつになっても『働く』『生きる』を楽しめる社会」というビジョンを掲げています。このビジョンが実現すると、どのような社会になるのか。それは日本の女性が仕方なく何かを「諦める」ということをしなくても、自分のライフスタイルに合わせて、「働き方」や「生き方」を好きに選ぶことができる社会です。

ここ数年、国や企業も女性の活躍に対して積極的な取り組みが見られるようになりましたが、2023年現在、まだ成果らしい成果は見られません。厚生労働省が発表した「男女共同参画白書」によると、女性が活躍できる社会を実現するには、2040年代の半ばまでかかるだろうと言われています。環境面、雇用面、教育面などに加え、意識改革も必要なので、まだまだ時間がかかりそうです。

このビジョンが実現した未来では、女性が出産や育児、介護によってライフスタイルが変わったとしても、やりたいことを実現し、何も制限を感じることなく成長のチャンスを得られる、より柔軟性と平等性が備わった社会になります。私は誰もが楽しく働き、楽しく生きる社会を創りたいのです。

Q ミッションをつくるときのポイントは？

A ビジョンを軸にしつつ、新規性を取り入れる

ミッションは、様々な導き方がありますが、ビジョンを実現するための行動と考えてください。ミッションを継続した未来にあるのがビジョンなので、ビジョンとミッションは密接に関係しており、連動して考える必要があります。

エールプロジェクトでは、「パラレルキャリアで働く女性の活躍を応援する」がミッションです。コミュニティに入っていただきたい方々（ターゲット）を絞り、その方々がわか

りやすい内容にするという意図もあり、「パラレルキャリア」と限定的にしていますが、パラレルキャリア以外の人は入れないというわけではありません。また、パラレルキャリアだけがビジョンを実現できる方法、というわけでもありません。ミッションは手段なので、色々なアプローチの仕方があるとは思いますが、私の場合は、パラレルキャリアが一番女性にあった生き方であると確信しているため、ミッションの軸にしています。

パラレルキャリアは、複数のキャリアを同時に進める働き方&生き方のことなので、子育て、家庭のこと、自分自身のことなど同時にたくさんのタスクをこなすことができる女性にとっては、相性がいい「生き方」です。多様化するライフスタイルの中で、キャリアを築いていく手段としても効果的な選択肢なので、パラレルキャリアが浸透していくことは、同時に活躍する女性が増えることにつながります。

このようにパラレルキャリアが当たり前の社会にしていくというミッションは、ビジョンの実現につながっています。ミッションをつくるときは、よりターゲットを具体的にして、限定的な表現にすることで、対象者に伝わりやすくなるでしょう。

また、ミッションに新規性を取り入れておくことで、強みや特長にもなるので、そのコミュニティの魅力にもつながります。新規性とは、字の通り新しいことであり、「新しい」

は独自の価値になります。エールプロジェクトの場合は、「パラレルキャリア」という考え方や言葉自体に新規性がありました。しかし、時代や業界によって新規性の度合いは変化するので、どんな新規性がコミュニティに加わると、より魅力的で効果的なのか、掘り下げて考えていくと良いでしょう。

新しいアイディアを生み出すためのツールとしてよく知られているのは、「オズボーンのチェックリスト」です。転用、応用、変更、拡大、縮小、代用、再配置、逆転、結合、の9つのチェック項目があるので、それぞれに当てはめて考えてみると、新たな視点や気づきがあります。なかなかアイディアが浮かばない時は、オズボーンのチェックリストをやってみるのもおすすめです。

オズボーンのチェックリスト

転用
ほかに使い道は?
改善·改良できないか?

応用
ほかに似たものは?
真似できるアイデアは?

変更
意味·色·動きを変えたら?
新しいひねりを加えたら?

拡大
強く·長く·高くしたら?
すべてを大きくしてみたら?

縮小
弱く·短く·低くしてみたら?
すべてを小さくしてみたら?

代用
他のものから代用できる?
他の素材や構成は?

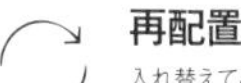

再配置
入れ替えてみたらどうなる?
パターンを置き換えたら?

逆転
上下·左右を逆にしてみたら?
役割を反対にしてみたら?

結合
組み合わせてみたら?
目的を混ぜてみたら?

Q バリューをつくる時のポイントは？

A 判断基準になるような一貫性を意識する

バリューは、ビジョンを実現する、あるいはミッションとして行動する際に判断基準となる価値観や指針になります。簡単に言うと迷った時の道標です。バリューに沿って判断したり、姿勢を貫いたりすることが、結果としてミッション通りの行動になり、ビジョン達成につながります。ここでもエールプロジェクトの例をあげますが、エールのバリューは「学び・つながり・挑戦」です。「働く・生きるが楽しめる社会」というビジョンを達成するために、「パラレルキャリアで活躍する女性を応援すること」をミッションにし、その判断基準として、「学び・つながり・挑戦」がある。という一貫性になります。

エールプロジェクトでは、ビジョンが社会貢献、ミッションが他者貢献、バリューがメンバー貢献、と大きいところから身近なところに貢献（エール：応援の結果、貢献になるという意味も含め）としてつながる表現も入れています。このようにメッセージに一貫性を持たせることで、誰にでも伝わりやすいバリューになります。

Q VMVを決めたあとにすべきことは？

A コンセプトメイク

ビジョン、ミッション、バリューができたら、次にコンセプトを決めましょう。コンセプトとは、商品、サービス、イベントなどの本質的な意味、目的、価値などを誰にでも理解できるように表現した言葉です。前の章でお伝えした「バリュー」と類似しており、どちらも「価値観」という言葉で置き換えることができます。

コンセプトをつくる時には、「誰に、何を、どのように」というマーケティングの型で考えるとつくりやすくなります。誰に＝コミュニティに入って欲しい人、何を＝コミュニティのコンテンツ、どのように＝どういう方法で提供するか、に当てはめてつくってみましょう。

コンセプトとバリューは類似していますが、違いは外向きか内向きか、ということです。バリューはコミュニティ内の人にとっての判断基準となり、コンセプトはコミュニティ外の人へ特長を伝える役割を果たします。概念は似ていますが、対象者が異なるので、バリューとは言葉の表現方法を変えるのもいいでしょう。似た概念のバリューがあるからコンセプトはなくてもいいという訳ではありません。コンセプトがないと、コミュニティ外の人へは魅力が伝わりにくくなるので、結果的に誰からも選ばれないコミュニティになってしまいます。せっかく立ち上げたコミュニティがそうならないためにも、コンセプトもきちんと決めておきましょう。

では、共感されるコンセプトとは、どういうコンセプトなのかをお伝えしたいと思います。人がなぜ共感できるのか、それは相手の状況や感情を自分も同じように感じることができるからです。また相手との共通点が多く、シンプルかつ肯定的であればあるほど、どんどん共感されやすくなります。共感されるコンセプトをつくるには、共通点、肯定的、シンプル、の全ての要素が含まれていることを意識しましょう。

共感されるコンセプト

共通点 × 肯定的 × シンプル

エールプロジェクトの場合は、「働く女性の学び×つながり×挑戦が一つになったプラットフォーム」がコンセプトです。学びは、新しい知識やスキルを身につけたり、成長したいという欲求がベースにあり、つながりは社会的な帰属意識もありますが、一人じゃないという安心感や安全性の欲求もベースとしてあります。挑戦は自分の可能性を信じ、限界を超えようとすることで、自己実現を目指す欲求を満たすことです。

このように人が普遍的に持っている欲求を盛り込むことで、多くの人に当てはまる共

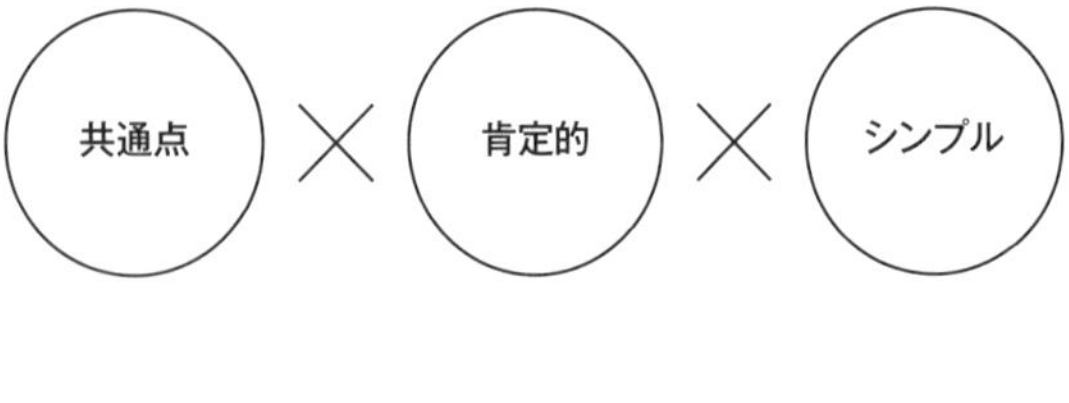

通事項になります。また学ぶことも、つながることも、挑戦することも、ポジティブに捉えられることが一般的なので肯定感も満たしているでしょう。表現としては、単語レベルまで削ぎ落としており、最もシンプルな状態と言えます。

さらにこのコンセプトは、できるだけ物事を3つの要素にまとめるように意識しています。3つにまとめることで、人の頭にスッと入りやすくなるからです。人の認知能力と情報処理能力は、物事を3つにまとめると数値的にバランスが取れ、認知的な負荷も少なくなり頭に入りやすくなると言われています。エールの場合も、「①学び②つながり③挑戦という3つの合言葉によって、このコミュニティで得られる価値がイメージしやすく、わかりやすい」とメンバーの方からも多くのお声をいただいています。

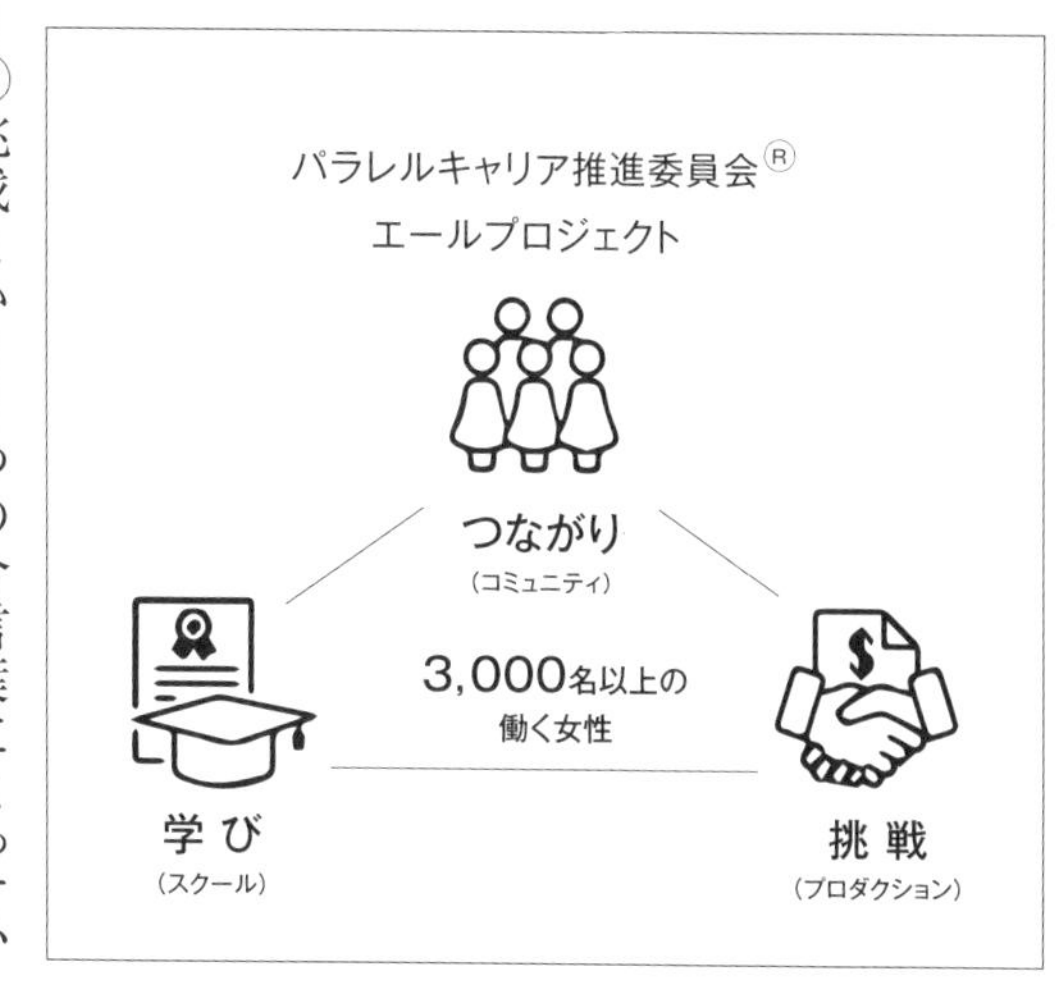

Q より多くの人に興味をもってもらえるコミュニティの要素は？

A 理解しやすいシンプルさ

もう一つ重要なのが、シンプルさです。パラレルキャリア推進委員会®のコミュニティは、創業メンバー5名から3年半で約3000名以上が参加する団体へと拡大し、さらに現在も成長し続けています。全くプロモーション費用をかけずにメンバーが増え続けているのは、ビジョンやコンセプト、参加方法などがシンプルだったことが要因になります。

仲間とワクワクしながらコミュニティのオープン準備をしていると、想いやこだわりも強くなってきて、やりたいことがどんどん溢れ出てきてしまうことはよくあることです。名前に特別な意味を込めて複雑にしたり、どんどん項目が増えたりしてしまうと、自分達が思っている以上に説明をしなければ周りの人には伝わらない、という状況になってしまうでしょう。パッと覚えられないものや理解できないものは、なかなか人から人へ伝わることが難しくなっていきます。

どんなコミュニティなのか、そのコミュニティに入るとどうなるのかなどをメンバーじゃない人でも推測しやすくすることで、拡散につながっていきます。それらはシンプルな表現であればあるほどいいでしょう。

私の場合は、パラレルキャリアを推進している団体というのがわかるように、パラレルキャリア推進委員会®という、ストレートな名前にしています。また、コミュニティではお互いの「応援」を軸にビジョン、ミッション、バリュー、が決まっているので、全体の活動は「エールプロジェクト」というシンプルな名前です。コミュニティのコンセプトも、覚えやすい短い言葉で「学び」「つながり」「挑戦」とし、このコミュニティに入ると得られることが容易に想像できます。今、サッと読んだ読者の方の中でも、頭に残った方はいるのではないでしょうか。

このように全て短い言葉で簡潔にして、多くの人が理解できる簡単な言葉を使うことにより、参加しているメンバーが多くの方に拡散してくれるようになりました。できるだけシンプルにすることで、拡散される時も伝える側、聞く側、共に理解しやすく覚えやすくなるのです。

理解しやすさに加え、実際参加したいと思った時に「参加しやすい」という環境にしておくことも重要です。参加申込書などの書類に記入しないといけない、月額や年会費がかかるなど、参加条件やハードルが多いほど、検討する材料が増え参加しにくくなります。

だからといって誰でもみんなウェルカムにしてしまうと、コンセプトを理解していない人や、コミュニティ運営の妨げになってしまう人も混ざってしまいます。どういう人に参加して欲しいのかも含め、多過ぎない程度に最低限の参加条件を決めておきましょう。

コミュニティには、わかりやすさ（コミュニティ名、ビジョン）、伝えやすさ（ターゲットが理解しやすい、人から人へ伝えやすい）、参加しやすさ（無料、参加自由）、というシンプルさが必要なのです。かっこいいと思って難しい言葉を使ってみたり、捻りすぎた単語の意味だったり、良かれと思って詳しく長い説明を加えた理念やビジョンはいらないのです。

Q コミュニティをカタチにするには？

A 共感してくれる仲間を集める

ビジョンを明確にしてコミュニティをスタートさせたとしても、自分一人ではできることに限界があります。作業を手伝ってもらえる人を雇う方法もありますが、コミュニティを継続していくと考えると、それではカバーできないことが多々あるでしょう。また、行動するスピードも一人でやっているとマイペースになりがちですし、困難な出来事や大きな壁にぶつかった時、一人では乗り越えられず諦めてしまうことがあります。掲げたビジョンに向かって最速で進み続けるためには、そのビジョンに共感して一緒にコミュニティを創っていく仲間を集めましょう！

仲間を探す時、凄いスキルがある人、経験が豊富な人、何かを持っている人などに声をかけたくなるかもしれませんが、一番大切なことは能力値ではありません。一番大切なのは、苦しいことがあっても一緒に乗り越えてくれそうかどうか、ということです。

「そんな人は自分の周りにいない」、「簡単に見つからない」、という声が聞こえてきそうですが、大丈夫です。実際にはその局面にならなければわからないことなので、まずは考えすぎずに「この人ならきっと一緒に乗り越えてくれる」と「自分が思えた人」を誘いましょう。日頃から自分の想いをよく知ってくれている人をスカウトするのがおすすめですが、仮に初対面の人だったとしても「そう思えた」なら問題ありません。相手がどう、ではなく、自分が「信頼したい」と思える人かどうか、ということが重要になります。相手は自分の鏡です。自分が先に相手を信頼することで信頼関係は生まれます。自分から相手を信頼して関係性を築くコミュニケーションを心がけましょう！

Q 創業メンバーの理想的な人数は？

A 5名体制

最初の一人目の仲間ができたら、同様の基準で5名まで仲間を集めてください。コミュニティ立ち上げのフェーズで加わってくれた初期の仲間を、本書では「創業メンバー」と呼ぶことにします。

創業メンバーは5名が理想的です。10名でもなく3名でもなく、5名が理想というのは、なんとなく5名がいいというのではなく、ちゃんとした理由があります。

ここで詳細を記載することは省略しますが、興味があって詳しく理由を知りたい方は「ダンバー数（Dunbar's number）」を調べてみてください。5名というチーム編成は、最もコミュニケーションが取りやすく、相互作用効果も高く、役割分担がしやすい人数とされています。

実際、スタートアップ企業でもよく取り入れられている人数で、大手企業のプロジェクトチームも5名体制で編成されることが多くあります。他にも、隊の組織形態や子供向けヒーロー戦隊など、ジャンルを問わず最もバランスのいい人数として、よく5名編成が使われています。

私も実際にやってみて、5名のチームは何かを始める時の最大人数として、意思の疎通もしやすいながらも多様性もしっかりあるので、濃い意見交換ができると感じました。意見交換がしっかりできると革新的なアイディアも生まれやすいし、モチベーションの維持もしやすいでしょう。また、やむを得ない事情で誰か1名が欠けた場合でも、チームとして維持がしやすいです。

コミュニティが立ち上がった後から加わってくれたメンバーは「一般メンバー」です。コミュニティ立ち上げのフェーズでは、一般メンバーを集める前に、創業メンバーで準備しておくことがたくさん出てきます。しっかり準備できたかどうかで、その後に最強のコミュニティになれるかも決まってくるので、全員が一丸となって進むためにも、まずは自分が率先して動いて見本を示すことが大切です。

コミュニティをつくる準備段階で考えられる最低限のタスクを具体的に上げてみると、

○コミュニティのテーマ作成のための調査分析
○コミュニティのコンセプトメイク
○コミュニティのプラットフォーム選択
○一般メンバー向けコンテンツ準備
○一般メンバー集客の準備
○一般メンバーとのコミュニティ内コミュニケーションの方針（コメント管理や返信など）
○一般メンバーとの通常時の関わりの方針（SNS個別メッセージなど）

◯イベント企画と当日の運営の方針

などがあります。あなたがプレ期でつくっているものも含めて、改めて創業メンバーと一緒に確認しながら決めていくことで、お互いの関係性も構築することができ、コミュニティが目指す姿も全員が理解できるようになるでしょう。

既に気がついた方もいらっしゃると思いますが、これらの一連の流れはビジネスにも共通しています。起業を考えている方、また既に自分でビジネスをされている方にも、コミュニティづくりを通してビジネススキルの習得やブラッシュアップが期待できるでしょう。特にコミュニティ運営を行う過程で、どうしたらコミュニティのみんなに楽しいと思ってもらえるか、入ってよかったと思ってもらえるかを考える機会が増えることから、多角的な視点で物事を見るようになるでしょう。それだけでなく、発想力、創造力、問題解決力など、多くのスキルが自然に磨かれていきます。

Q 創業メンバーを集める時のポイントは？

A パッション・協調性・責任感

創業メンバーがビジネスにおいて重要なのはご存知だと思いますが、コミュニティでも例外なくとても重要です。ではどのように創業メンバーを集めていくか、ということをお話ししたいと思います。

最初の一人目はどんな人に声をかけたらいいかということですが、前章では「苦しくても一緒に乗り越えてくれそうな人」とお伝えしました。しかし、残りの創業メンバーもそれでいいわけではありません。

具体的にどんな人かというと、次の3つを全て持っている人が望ましいです。①パッション、②協調性、③責任感の3つです。協調性と責任感は、最初のメンバーとして一緒にやっていくには困難な人を避けるための保険のような項目なので、そこまで考える必要はありません。しかしパッションは、創業メンバーとしては持っていて欲しい、物凄く重要で見極めが難しい要素です。

まずは協調性と責任感からお話ししたいと思います。協調性については、幸いにも日本人は民族的に集団を大切にする性質があるため、協調性のない人を探す方が難しいくらいです。話してみて「この人は合わないな」とネガティブな感じがしないのであれば、一度は受け入れてみるのがいいでしょう。責任感についても、日本人はある一定のレベルで責任感は備わっている方が多いでしょう。接してみて無責任さが露呈していないと感じたなら全く問題ありません。ただし、少しでも違和感を感じた時は見送りましょう。

最後にパッションについてです。ゼロから1を生み出すためには非常に強いエネルギーが必要になります。パッション（熱量）は、エネルギーの素なので、ビジョンやミッションに対してどれだけのパッションを持って取り組めるかということは、将来を大きく左右します。しかし、それだけ重要な要素にも関わらず、パッションを持っているか見極めるのは難しいです。ドラマに登場する熱血教師のようなわかりやすいタイプの人ならいいのですが、日本では伝統的に控えめであることが美徳と教育をされてきたので、表にわかりやすくパッションを出す人は少ないかと思います。

さらにパッションには、炎のように激しく燃え上がっているパッションと、灯火のように小さく沸々と燃えているパッションがあります。どちらのパッションも良さはありますが、創業メンバーとしては、できる限り灯火タイプの人には入ってもらうようにしましょう。炎パッションタイプは一時的に仲間を鼓舞しますが、途中で燃え尽きてしまうことが多い傾向があります。稀に、炎がずっと持続しているタイプの方もいますが、そのような方と巡り会えたらとてもラッキーです。積極的にスカウトしましょう！

灯火パッションタイプは、派手さや激しさはないですが、消えることなく長期的に燃え続けてくれます。できれば創業時は、灯火パッションをもった人をメンバーに加えると、長くいい信頼関係が築けるでしょう。

炎と灯火タイプの見分け方

【炎タイプ】

0から1を創るときに頼もしい存在　※熱量を表に出す

・提案力やスタートダッシュの勢いがある
・タスクを抱えて、オーバーワークしやすい
・新しいことや挑戦することが好き

【灯火タイプ】

1を10にする時に頼もしい存在　※熱量を内に秘めている

・無理はせず、良い意味でマイペース
・計画性があり、タスク管理が得意
・長く続いている趣味や仕事がある

また、創業メンバーを募る際、客観的な視点は必要ありません。自分がその人をどう感じるか、という自分軸で考えることが大切です。周囲からの評価が高くても、チームとして合わない人もいれば、敬遠され孤立しているような人でも、接してみれば意外と問題なくフィットすることもあります。自分が協調性、

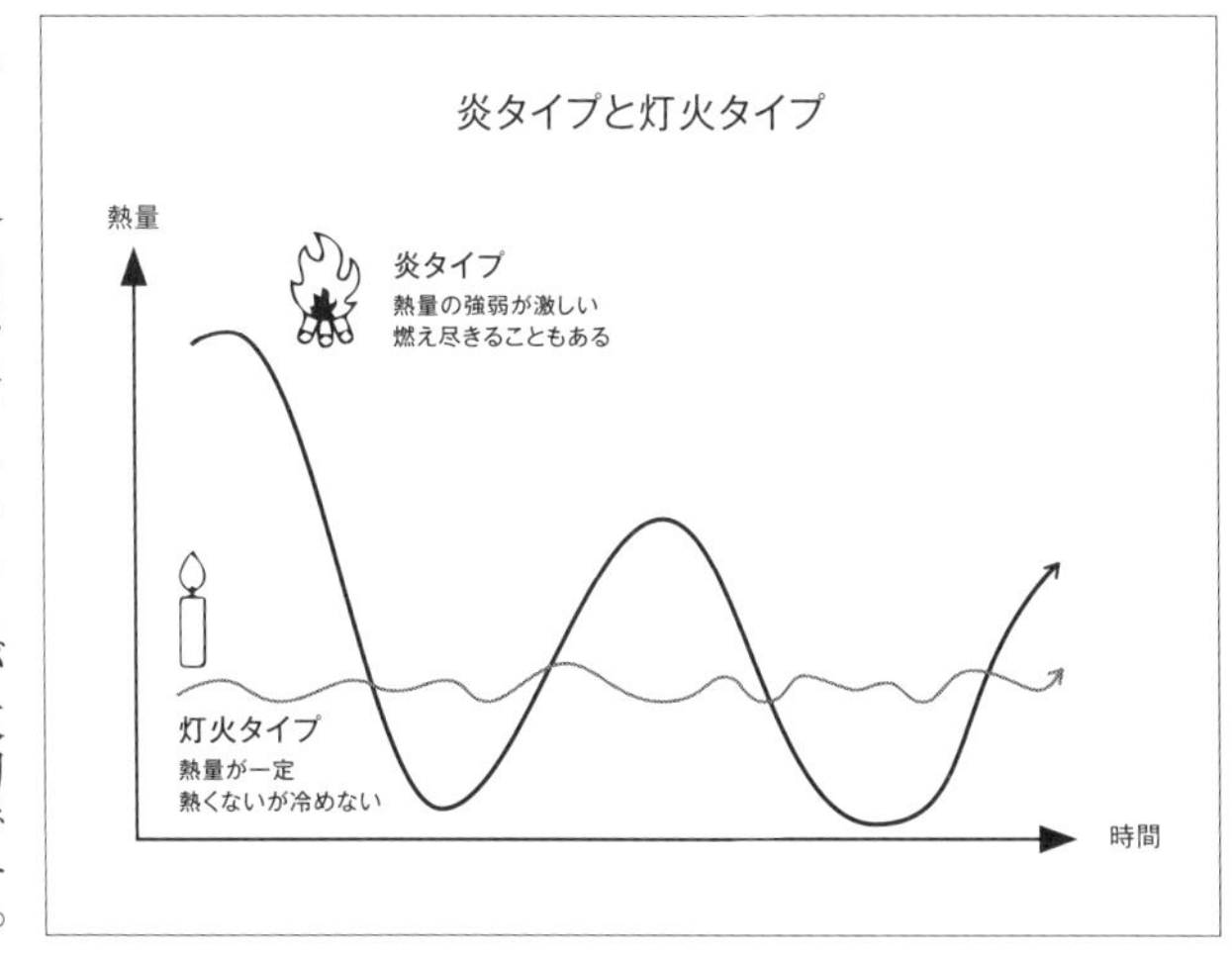

責任感、パッションがあると感じた人であれば、創業メンバーにふさわしい人なので自信を持って仲間に誘ってみてください。

Q 最強のコミュニティの運営スタイルは？

A トップダウン型と共創型のハイブリッド

仲間になったメンバーとは準備→創業→コミュニティ→一般メンバー集め→コミュニティの活動開始とさまざまなプロセスが続きます。しかし創業メンバーがお互いに理解し合っている前提で集まっているとしても、人が増えれば増えるほどコミュニティでの役割やタスクがどんどん複雑になってくるので、より効率良く進めるための工夫が必要です。

会社組織のような管理体制をしいたり、上下関係をつくる必要ありませんが、チームとして機能させていく上で、ある程度のリーダーシップは取りましょう。例えば、全体が向かう方向を定める時や、複数のタスクを効率良く実行する時、何か問題が起こった時などです。もしもあなたがチームをまとめる工夫をせず、「みんなの自主性に任せます」としてしまうと、耳障りはいいですがほぼ無法地帯のチームになってしまうでしょう。

その結果まずコミュニケーションの乱れが起こり、「聞いていない」、「知らなかった」

など認識の相違が発生します。またタスクが重複したり、無駄な作業をして効率が悪くなり、最終的には協力しない人や勝手に実行してしまう人が出てきたりするでしょう。そうなると協力し合って前に進むことが困難になるため、結果として、ビジョン・ミッション・バリューも無視され、チームが成り立たなくなり崩壊します。

だからと言って、リーダーとして張り切り過ぎてしまっても、かえってうまくいきません。人は張り切りすぎると、過大な期待を自分にもメンバーにも寄せてしまい、強いプレッシャーを与えてしまいます。

また、自分がやらなきゃという想いが強くなり過ぎて、自分の意見を無理やり押し通して、仲間のアイディアは無視してしまうということもあるかもしれません。そうなると仲間の士気は下がり、消極的かつ受動的なチームになってしまうでしょう。

能動的チームとして機能させていくには、自主性と受動性のバランスが大切です。自由すぎず、統制しすぎず、リーダーシップを取っていくことが求められます。それが、トップダウン型と共創型のハイブリッドです。

トップダウン型とは、リーダーからメンバーに向かって指示が伝わる組織形態のことです。日本の多くの組織は、昔からこのスタイルが多いです。トップダウン型は、組織構造が上から下とシンプルなスタイルなので、管理者側がとてもコントロールしやすいというメリットがあります。

また、決定も一方向のためスピードが速くなります。デメリットとしては、リーダーの指示に沿って動く特徴があるため、リーダー以外のメンバーから創造性が失われ、イノベーションが起きにくいです。また、下位メンバーの意見が通ることも稀なため、チーム全体のモチベーション低下にも繋がってしまいます。

一方で、共創型とは、メンバーが意見を出し合い議論して決定するということを重視しているスタイルです。リーダーは存在するがサポート的な役割が大きく、基本的に全員で物事を決定していきます。上司と部下などは存在せず横並び感が大きいので、お互いの信頼関係を構築し、協力し合いながら動きます。デメリットとしては、みんなで関わる分トップダウンに比べると決定するスピードが遅いことです。

トップダウン型も共創型も、それぞれメリット、デメリットがありますが、トップダウン型と共創型のハイブリッドというのは、それらの「いいとこ取り」になります。基本的には全員で議論して進めますが、必ずしも多数決で決定していく訳ではありません。状況に応じてリーダーのみで決断することもある、柔軟性を持たせたスタイルです。

そこで大切になるのが、決断する時の判断基準となるビジョン、ミッション、バリュー、コンセプトになります。オーナーだけではなく創業メンバー全員がそれらを理解し、自分ごとと捉え、指針に沿っているかどうかをジャッジできることが望ましいでしょう。

[第3章]

最強のコミュニティづくり

実践編

—スタート期—

Q 準備が整ったら実践で最初にやることは？

A ゴールと目標設定

創業メンバーが決まったら、次はオープンといきたいところですが、最後にこれだけはしておかないといけないことがあります。それは、オープン前に「ゴール」を決め、そのための指標となる「ＫＰＩ」を設定しておくということです。ここでのゴールとは、最終ゴールではなく、最初に目指すゴールのことを指します。ＫＰＩとは、Key Performance Indicator の略で「重要業績評価指標」と日本語訳されています。企業に勤めている方は馴染みがあると思いますが、初めて聞いた方もいるかもしれないので簡単に説明します。

ＫＰＩは、目指すゴールに到達するためのカギとなる「指標」のことです。つまり、順調にゴールに行けそうかを知るための物差しになります。数字が苦手な人にとっては、ちょっと難しく聞こえるかもしれませんが、とても大切なことなので、頑張って読み進めてくださいね。

ゴールもＫＰＩも、定量的（数で表せる）に設定をします。数字で表すことで、誰が見ても多い少ないがわかるので、目標値や過去データと比較することが容易になります。現在の状態が目標に対して順調なのかそうでないかを、個人の感覚や主観ではなく、客観的に知ることができます。しかも一部の人だけではなく、全員が共通して同じ認識を持つことができます。理解できると数字が苦手でも便利に感じることでしょう。

まずはゴール設定から解説します。ちなみに、ゴールはKGI（Key Goal Indicator の略）と呼ばれます。フワッとした感覚的なものではなく、「1ヶ月後のメンバー数100名」のように数字で設定しておきましょう。こうすることで1ヶ月後に100名より多ければクリア、少なければ改善の余地ありと、誰でも簡単に状態を把握することができます。

KPIも同様の理由で、数字にしておきましょう。KPIは何をどうすればそのゴールに辿り着けるかを数値で表すことになるので、一つのゴールに対して複数あっても大丈夫です。例えばゴールを「1ヶ月で100名」とした場合、「SNS投稿を20回する（1回の投稿で平均5名入る実績あり）」や「交流会で30名と一人ずつ話す（直接話すと3名に1名は入る実績あり）」のようにゴール達成につながる指標を数値で決めておくと行動や判断がしやすくなります。

KPIで気をつけることは、短期的でも中期的でもいいので、目標達成のための値を見極めることです。取れる数字を片っ端から集めても、それが何のための数値なのか、その値が何だったら合格なのかわかりません。どんな数字も目的に沿っていなければ無意味な数になってしまいます。そうならないためにも順調に目標に向かって進めている、とわかる指標としての数字を見極めて収集しましょう。

また、KPIは、たくさん設定しすぎても、結局どれが一番重要なのか不明確になってきます。総合的に見ていくこともあるので一つだけに絞る必要はありませんが、あまりたくさん設定しすぎないように気をつけましょう。

コミュニティのメンバー数増加や活性化に関する目標設定をした場合に、KPIとしてよく使われるのは、アクティブユーザー数（活発に動いているメンバーの数）、イベント参加率（イベントに参加したメンバーの割合）、反応率（運営側のアクションに対して反応した割合）、満足度（アンケート調査などでメンバーが満足している割合）、などになります。他にもKPIとして測定していく数値はたくさんあるので、目標に応じて設定するといいでしょう。

少し難しい内容が続いたので、これらを身近な例で考えてみましょう。例えば、大切な人の誕生日にプレゼントしたい10万円のアクセサリーがあって、誕生日は半年後だとします。KPI、KGIで考えるとアクセサリーを購入することがゴールなので、KGIはアクセサリーの値段の「10万円」になります。10万円を6ヶ月で貯めるには、毎月1万6667円を貯金する必要があるので、「月1万6667円の貯金」がKPIになります。

貯金1ヶ月目と2ヶ月目はKPIをクリアできたが、3ヶ月目は1万円しか貯金できなかったとすると、このままでは10万円に到達しない、ということが容易に予測できます。また誕生日プレゼントを渡すために、来月からどうしないといけないのか対策を立てる必要性もわかるでしょう。

このようにKPIを設定しておくことで、現時点でゴールが実現可能なのか、もし難しそうならゴールするためにはどうしたらいいのか、の指標にすることができます。すごく簡単な説明ですが、これがKGIとKPIです。

KPIを設定する手順ですが、詳しく書くと設定→分解→実施→分析の順番になります。最初の設定は、ゴールとなるKGIを設定します。次に、そのゴール（KGI）は、何がどうなると達成できるのか、どのようなアクションが達成につながるのか、を分解します。分解するために、ゴール（KGI）がどんな要素でできているのかを全て書き出し、数値化できる部分をピックアップし、一番目標達成に関係していそうな数字を、今後注目していく数字と決めます。これがKPIです。KPIを満たせば目標（KGI）は達成できるし、満たさなければ何か対策が必要ということになります。さらにKPIを実際に実施して分析をする、というのが大まかな手順です。

これを繰り返していくことで、目標達成しやすくなるので最強のコミュニティに育てていく近道に繋がります。数字が苦手でもトライしてみてください。

コミュニティ運営を始める前から、やることが多いと思われるかもしれませんが、これらは私が自分の経験を通して学んだことであり、事前に知っておけば3回もコミュニティを消滅させることはなかったでしょう。大変かもしれませんが必ず決めていただきたいと思います。決めることで、土台が整うまでの時間や、次のフェーズに行くスピードが確実に早くなります。

人は高く上にジャンプするために、助走からそのまま飛ぶのではなく、一度かがんで力を集中させてから跳ぶ方がより高く飛べます。コミュニティもそれと同じように、高く羽ばたくために少しだけ動きを止めて、戦略を練ることが大切です。

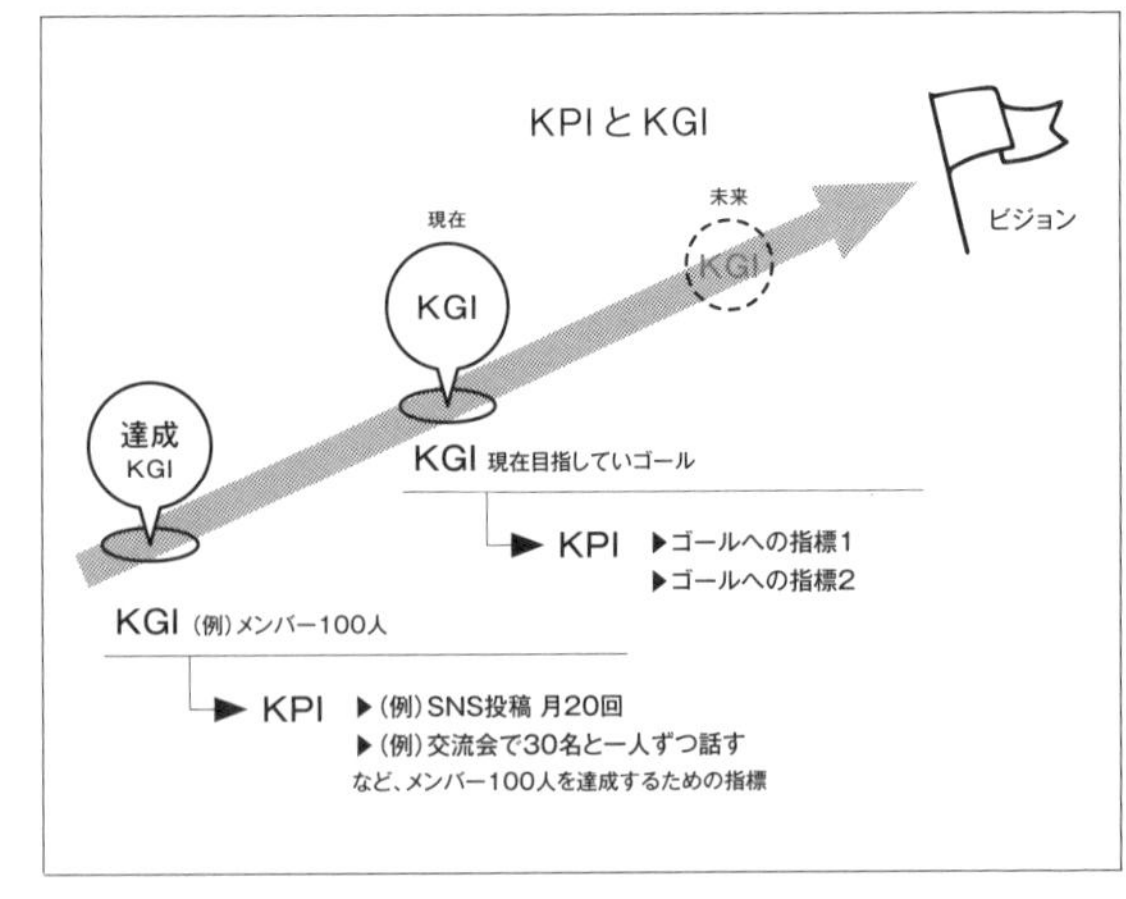

Q プラットフォームは独自で創るべき？

A 最初は既存ツールから選ぶ

コミュニティ運営に欠かせないのが、プラットフォームです。コミュニティのプラットフォームとは、コミュニティメンバーが集まり、交流することができるオンライン上の場を指すことが多いかと思います。リアルの場に置き換えると、お年寄りが集まる施設や、スポーツを目的とした人が集まる広場や公園などが該当します。プラットフォームは、オンラインでもリアルでも交流するために不可欠な場所です。

では、オンラインコミュニティのプラットフォームは、どこにつくったらいいでしょうか。せっかく自分のコミュニティを立ち上げるのだから、コミュニティのみんなが喜ぶ便利で居心地のいい理想の場所をつくりたい、と考える人も多いのではないでしょうか。

いつかはオリジナルプラットフォームを持つことを夢として持っておくことは良いと思いますが、最初からオリジナルでつくってしまうのはやめた方がいいでしょう。

なぜなら、時間とコストがかかる上に、既存SNSなど広く世の中に浸透しているツールには到底勝てないからです。開発資金はクラウドファンディング等で集めればクリアできると思われがちですが、問題はそうではありません。オリジナルでプラットフォームをつくるリスクは、せっかく資金を投じてつくっても、そのプラットフォームを知っている人がほとんどいないことです。結果的に、最初に認知活動が必要になり、時間とお金をかなり割く必要があります。

そこからユーザー（コミュニティに入ってくれた一般メンバー）を獲得したとしても、使用するユーザーが何を不便と感じ、何を追加機能として欲しがっているか等は実際に始めてみないとわかりません。これはどんなサービスでも共通することで、最初から理想のプラットフォームをリリースできることは、不可能に近いです。

現在ヒットしている有名サービスも、初代から大ヒットしたものは少なく、あのディズニーランドでさえ、世界で最初にアナハイムでオープンした時は、最悪なテーマパークと言われたのです。どんなサービスも何度もテスト運用を繰り返し、改善してバージョンアップを重ねたからこそ大ヒットにつながります。まずはミニマムスタートしながら改善ありきで運営していく必要があります。

Q 既存ツールの選び方は？

A 利用者の年齢層やターゲットを想定しながら選ぶ

オリジナルで独自のプラットフォームを構築するのは一旦将来の構想として、創業時はすでにあるサービスの中からプラットフォームとして使うツールを決めましょう。ツールを選ぶポイントは、コミュニティに集めたい人がよく使っていそうなツールは何か、を知ることです。２０２３年現在の例を出すと、ＳＮＳが主流の時代なので、多くのユーザーが日々活用しているＳＮＳやツールの中から選ぶと、時間もコストもかかりません。コミュニティのプラットフォームになり得る主なＳＮＳやツールは、Facebook、LINE、Twitter、Instagram、TikTok、Slack、Clubhouse、Discord、LinkedIn、YouTube、などがあります。これらにはグループ機能やコミュニティ機能が備わっているので、コミュニティに加わって欲しい人がよく使っているＳＮＳを選ぶといいと思います。参考までに現在の主な利用者層をザックリ表します。

実際に利用してみると、肌感覚として

プラットフォーム例

ツール	主な利用者の年代	主な利用者の性別
Facebook	30~40代	男性多め
LINE	10~60代	女性多め
Twitter	10~40代	男性多め
Instagram	10~40代	女性多め
TikTok	10~20代	男女半々
Slack	ビジネスユーザー	男女比不明
Clubhouse	10~20代	男性多め
Discord	10~20代	男女半々
Linkedin	10~20代	男性多め
YouTube	10~20代	男女半々

どのような傾向があるかが理解できると思います。エールプロジェクトでは、最初にFacebookを活用しました。コミュニティメンバーになって欲しい女性がたくさんいたことが理由です。その後、LINEもツールとして追加し、そこからオリジナルのプラットフォームとしてモバイルアプリへと進みました。

アプリをつくるまでに既存SNSを使ってコミュニティ活動を行いながら、オリジナルでプラットフォームをつくるための情報収集を行いました。コミュニティメンバーにとって利用しやすいのはどういうアプリなのか予測ができるようになってから、設立3年目に企画・制作に入りました。

それでも運用を始めると日々改善したいところだらけです。もっと良くするにはどうしたらいいかを常に考えていくと、プラットフォームに利用者がいる限りアップデートは続きます。100%完成、もう手を加える必要がない、という状態は永遠に来ないのです。

Q コミュニティルールと運営ルールを決める基準は？

A 心理的安全性

人が集まるところではお互いが気持ちよく過ごせるように、約束事としてルールを設けている場合がほとんどだと思います。コミュニティでもルールは必要です。ルールがない集団では個人の自由度は最高レベルになる反面、平等性、公平性はなくなり、輪を乱す人や攻撃的な人が増えます。その集団が辿る末路は容易に想像がつくでしょう。そうならないためにもコミュニティのルールをつくることをおすすめします。

ルールで最も重視することは、コミュニティ内の心理的安全性を保つことです。心理的に安全であるというのは、メンバーの誰もが不安や心配を抱くことなく、安心してコミュニケーションをとれる環境があるということです。しかし安全性を重視しすぎるがあまり、細かく色々な制限を設けてしまうと、コミュニティの活性化を阻害してしまいます。ルールをつくる際はバランスに注意しましょう。

基本的にコミュニティには、ビジョンに共感してくれている人が集まっているのが前提です。そのため性善説に基づいて、最低限のルールにするのがいいでしょう。加減がよくわからない場合は、公序良俗に反する行為を禁止する、誹謗中傷をしない、相手の意見を否定しない、強引な勧誘や販売をしないなどにするといいでしょう。安全性の最低ラインを確保していれば、スタートしていいと思います。

運営ルールについては、コミュニティを運営するメンバー内の決まりなので、創業メンバー全員で話し合って決めていくことが理想です。その際に注意することは、公正であること、透明性が保たれていること、柔軟性を持ち合わせていること、の3つになります。コミュニティルールと同様に、細かく厳しくしすぎると運営しているメンバー内の緊張感やストレスが高まってしまいます。結果、創造性や柔軟性を失ってしまい、デメリットの方が大きくなります。ここもバランスがわからない時は、最低限の公正性と透明性を保ったルールを1つ、2つ選んで、都度話し合う体制でスタートしていきましょう。

創業初期のステージでは、できるだけルールを守らなかった時のペナルティは設けない方がいいです。まだお互いの関係性も薄い初期の段階では、ルールを守らせることよりも、守れなかった理由を知る方が大切です。是が非でも守らせるのではなく、何か問題があるのであれば改善策を一緒に考えたり、お互いの妥協点を探していくなど、メンバー間の信頼関係を築いていくことを重視しましょう。

運営者数やコミュニティの規模、熟成度合いに応じて、必要であればルールやペナルティを追加し、段階的に考えていけば問題ないです。コミュニティにおいて、なるべくルールを増やさないようにする秘訣は、一般メンバーにビジョンを共有し、コミュニティとしてのあり方や大切にしている考え方をしっかりと理解していただくことです。これは、一回伝えただけでは伝わらないので、イベントや定期投稿などで何度も丁寧に伝え続けていきましょう。

Q スピードを上げて円滑に運営するためには？

A 創業メンバーの役割分担を決める

創業メンバーの役割分担も同時にしておきましょう。

5名というのは役割分担においても、非常にバランスがいい人数になります。コミュニティを5名でスタートした場合の例として、以下のように役割分担案を用意しました。

［チーム編成例］

○オーナー（あなた）：全体の責任者、リーダー。
○コンテンツ担当：投稿や各コンテンツの中心者。
○イベント担当：イベントの企画や実施の中心者。
○サポート担当：一般メンバーのフォロー全般の中心者。
○プロモーション担当：外部への情報発信の中心者。

これは一例なので、実際にやってみると、自分のコミュニティに合った役割は出てくると思います。適宜調整してみると良いでしょう。

役割分担はしましたが、基本的には誰か一人に任せるというよりは、最初はオーナー（あなた）が率先して、それぞれのことをやっていく姿勢を見せましょう。非常に面白いことに、リーダーが率先して取り組むチームと、リーダーが自分で動かず指示しかしないチームでは、前者のリーダーが自ら背中を見せるチームの方が成果を出しているケースが多いです。コミュニティの場合も当然といえば当然だと思います。

あなたが立ち上げたコミュニティに「一緒にやろう！」と誘われた仲間たちなので、あなたの姿勢を見本として見せることが一番みんなの士気を高めることにつながります。特に5名という小規模なチーム編成の場合、リーダーが率先して動くことで、その姿勢にチームメンバーも感化され、自らも積極的に行動するようになるでしょう。その結果、全体的にモチベーションが向上していきます。他にも、各メンバーの責任感の向上、メンバー同士の信頼関係の向上、チームワークの向上、と良い循環が起こり始め、目標に向かって一丸となる体制ができやすいでしょう。

逆に、リーダーは管理をする人という変な勘違いをして、自分は動かず指示だけをしていると、メンバーは指示を待つようになり、主体的に行動しなくなってしまいます。結果、モチベーションも低下し、イノベーションも起きず、成果も出なくなり、そのうち解散なんてこともあるでしょう。

コミュニティのオーナーは、決して偉いわけではありません。コミュニティのオーナーとして特別なことがあるとするなら、ただ一つだけで「たとえ一人になったとしても、絶対にやり抜くと覚悟を決めている人」ということだと思います。チームメンバーは同じビジョンを共有している大切な仲間です。常に感謝の気持ちを持って、参加してもらうのを当たり前と思わずコミュニティ運営を行なっていきましょう！

Q 盛り上がるコンテンツメイクとイベント企画は？

A 情報提供ではなく参加型

コンテンツというとメンバーを楽しませることが主な感じもしますが、それ以外にも学びにつながることや交流を深めること、よりコミュニティのことを知ること、ブランディングを図ることなど、色々な目的や役割があります。

具体的な例をあげると、コラム、ニュース、オリエンテーション、ワークショップ、交流イベント、成功事例の共有、質問会、読書会、ディスカッション、アンケート、部活、などです。

アイディアベースで楽しそう、役に立ちそう、と自分が思うコンテンツをやってみるのがいいと思いますが、ポイントが一つあります。それは、カリスマ型コミュニティではなく共創型コミュニティの場合、こちらから一方的にコンテンツを提供して、メンバーが受け手になるだけのものよりも、相互に作用し合うメンバー参加型にすることです。一緒にコンテンツをつくっていくようなものを多くすると、参加意欲も高まり盛り上がっていきます。

では肝心の参加型コンテンツのつくり方ですが、まずはフラットな状態で創業メンバーとアイディアを出し合うところから始めるのがいいでしょう。10も20もコンテンツを用意する必要はなく、最初は1つか2つ程度で大丈夫です。運営を行いながら徐々に増やしていけばいいので、焦らず確実に一つずつつくっていきましょう。

メンバー参加型のコンテンツのアイディアが出揃ったら、実現可能がどうかを踏まえ、絞っていきます。次にそのコンテンツ案はどんな形式で提供できるか、動画や写真なのかオンラインライブなのか、1回だけなのか定期的なのか、など細かいことを決めていきます。

ある程度、整ってきたらスタート日や実行日を決めて実施、その後アンケートなどで参加者からフィードバックをもらい改善、という流れを繰り返していきます。注意する点は、メンバーがどうやったらコンテンツに加われて楽しめるか、学べるか、交流できるかなどをわかりやすくしておくことです。

どんなに巷で流行っているコンテンツを取り入れたとしても、参加者が理解できない複雑なものだと、全く盛り上がらないまま終了してしまいます。ここでもシンプルイズベストを意識しましょう。

（事例）

次に、コミュニティで開催するイベントについて、少し掘り下げたいと思います。大きく分けてイベントは、オンラインとオフライン（＝リアル）があり、それぞれメリット、デメリットがあります。

［オンラインイベントのメリット］

○住んでいる場所の制約がなく、どこからでも参加できる。
○開催費用が抑えられる。
○録画機能を使えば、後から視聴も可能なので時間の制約もない。
○スマホからでも気軽に参加できる。

［オンラインイベントのデメリット］

○関係性の構築や、コミュニケーションはオフラインよりも時間がかかる。
○参加者の環境（PC、スマホ、wi-fi の有無など、デバイスやインターネット環境）によっては制限がある。
○プライバシーに関しては、オフラインより配慮が必要な場合がある。

○開催者や参加者のインターネット環境によって、遅延や音質などの問題が発生する場合がある。

［オフラインイベントのメリット］
○参加者が直接会えることで親密度が増す。
○イベント会場の雰囲気や音響など演出がしやすい。
○料理やアルコールなどを提供できるので、参加者により快適な時間を提供できる。
○イベント終了後も二次会を自主的に開催するなど参加者同士が仲良くなりやすい。

［オフラインイベントのデメリット］
○参加者の住んでいるエリアに制約され、遠方の場合参加が困難になる。
○参加者に交通費や宿泊費がかかる。
○会場の都合などで参加者の人数に制限がある。
○会場や食事など、イベント開催のコストがオンラインよりかかる。

これらを総合的に判断して、自分のコミュニティに合う方法で開催を企画していきましょう。

Q 最初に行うイベントのポイントは？

A しっかり準備した上でオフラインのイベントを

最初はカジュアルにオンラインイベントを開催したくなるかもしれませんが、できれば最初はオフラインのリアルイベントを開催するのがベストです。地理的な制約があるので大人数は難しいかもしれませんが、参加者の親密度は高くなるので、イベントをきっかけにコミュニティのコアメンバーになってくれる可能性があります。

またオンラインと異なり、会場として現実の空間を利用するので、参加者の体験として印象にも残りやすいです。オーナーや創業メンバーも、直接メンバーと顔を合わすことができるので、より深くコミュニケーションを取れるでしょう。熱量や温度感を伝えることも比較的簡単で、参加者全員のモチベーション向上にもつながりやすく、メリットが大きいです。最初こそ是非リアルイベントを開催してみてください。

もし想定より参加者が少ない場合は、コミュニティ外からも参加者を募り、このイベントをきっかけにコミュニティに入ってくれるような場にしていく戦略に切り替えるのがおすすめです。

最初のリアルイベントを成功させるポイントは、一方的な情報提供ではなく、参加者が参加している感覚を持ちやすいように「交流会」とすることです。交流会として考えると会場によっては交流しにくい場合もあるので、なるべく会場選びの際は事前に下見をしておきましょう。

時間帯や曜日も重要です。仕事や家族、育児、介護など、様々な状況を考慮して、全てをカバーできなくてもメンバーが参加しやすい日時にしましょう。開催が決まれば、創業メンバーで必ずプログラムや進行役を決めてください。参加者が一番嫌うのは、ダラダラした時間と内容です。しっかりとメリハリをつけて、何をする時間なのかを明確にしておきましょう。

コミュニティで最初に開催するイベントの重要度は最も高く、その後の運営にも影響を与えます。計画した最初のイベントには全勢力を注ぎ、創業メンバー一丸となって最大限準備を整えてから臨みましょう。コミュニティとして一般メンバーにどのような価値を提供できるのか、どのような人たちが参加してくれるのか、運営を続けていく上で大きな分岐点になります。

プレッシャーをかけすぎてしまったかもしれませんが、重要なのは勢いです。もし失敗してしまったとしても、リニューアルすればいいのです。前日まで準備に集中して、当日は気負いすぎずに、思いっきり楽しみましょう。

Q おすすめの交流会スタイルは？

A 懇親会型で、参加者同士が交流できるようにする

交流会の会場スタイルとしては主に、フリースペース型（椅子がない、テーブルがない、広い空間で自由に移動できる）、懇親会型（テーブルを囲み着席）、セミナー型（一方向を向いて着席する座学スタイル）、展示会型（ブースを多数設置し移動は自由）、ステージパフォーマンス型（広い空間にステージがある）、などがありますが、懇親会型でしっかり着席させ、飲食を提供するスタイルの方が参加者の満足度は上がりやすいです。懇親会型では、途中で何度か席替えをするとより良いでしょう。また席は4名1組としておくと、一人ぼっちになる参加者がなく、同じ席になった参加者の親密度が増します。席決めもくじ引きにするとゲーム性もあって盛り上がり、一人で参加する人の安心にもつながるでしょう。

最初のイベント以降は、オンラインでもオフラインでも構いません。オンラインイベントの種類としては、講座やセミナー、トークイベントやパネルディスカッション、アナログゲーム（パーティーゲームなど）、オンライン飲み会、などがあります。

どのイベントでもオンラインで参加者同士が交流する時間をつくっておくと良いでしょ

う。ただし、参加者同士のフリートーク時間はあまり長すぎないように気をつけましょう。交流会で大切なのは、また参加したいと思って終えることです。そのためには、時間は長すぎずに少し足りないぐらいが丁度いいです。また、人見知りや初めて一人で参加した人にも配慮した企画にすることも大切です。

イベント終了後はオフラインもオンラインも、必ず参加者のリアルな声を聞けるようにアンケートを取りましょう。アンケートを基にイベントに改善を加えていくことで、よりクオリティが上がり、参加者の満足度も増します。結果としてコミュニティメンバーの増加につながっていくでしょう。

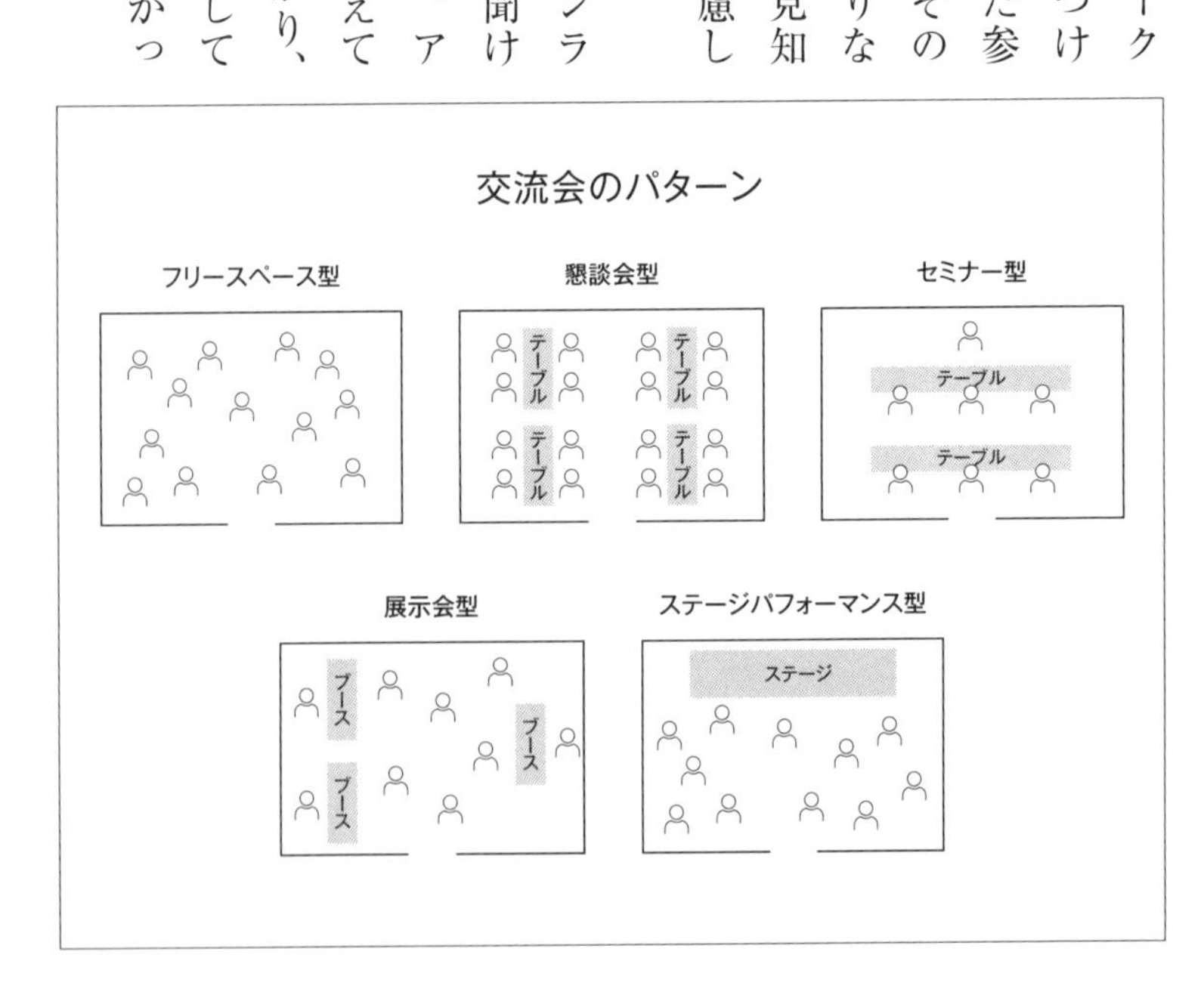

Q コミュニティを実際に動かすには？

A 具体的な年間スケジュールと予算設定をする

最初のイベントやコンテンツが決まったら、早速コミュニティの一般メンバーを募集しましょう。コミュニティの中身がまだ十分に整っていなかったとしても、大切なのは完璧な状態をつくっておくことではなく、アップデート（改善）し続けることです。ある程度の大枠が決まったなら「まずやってみる」のがいいでしょう。

あのスティーブ・ジョブズでも、最初に販売したコンピューターＡｐｐｌｅ・Ｉから改善を重ねてきたから今のアップルがあります。コミュニティもビジネス同様、実際にやってみなければわからないことの方が多いので、60％～70％くらい整ったと思ったらコミュニティをオープンして実際にメンバーを入れましょう。運営を行いつつフィードバックをもとに改善する、という流れをつくっていくことが重要です。

一般メンバーを集めていく過程では、このコミュニティに入るとこんな楽しいイベントやプラスがある、というのを示していくことが必要です。つくった背景や想いを伝えることも大切ですが、様々なイベントを企画して積極的に発表していきましょう！

そのためにもできるだけ具体的に、創業メンバーと一緒に年間スケジュールを立ててください。年間スケジュールが決まると、いつまでに何をするのか予定が立てやすくなります。効率良く準備するための指針となり、創業メンバーの負担も減らすことにも繋がります。

また年間スケジュールが決まったら、それには費用がかかるのか、かかるとしたら予算がどのくらいなのかなどを具体的に算出してみましょう。さらに、イベントにかかる費用だけでなく、コミュニティを運営する上で必要な全体諸経費も算出しておくと安心です。

コミュニティ運営には費用がかかることが多々あります。

パラレルキャリア推進委員会®の場合は、今の活動を維持するために年間約120～150万円ほどの費用がかかっています。コミュニティを運営してくれている100名近い運営メンバーはプロボノ（ボランティア）で参画いただいているので、この費用は人件費ではなく雑誌制作、LINEやZoomやasanaなどのツール有料プラン、イベント景品代などの活動費です。

そんなにかかるの⁉と驚いたかもしれませんが、これは人数規模や活動内容によるので、もちろん最小限に抑えることも可能です。極論、オンラインだけのコンテンツや参加費制のイベントであれば、ほとんど経費をかけずにコミュニティを運営することも可能です。

ただ、想定以上にお金がかかってしまったと後から慌てないように全体予算も、いつ、誰が、どのように捻出するのか考えておくことが大事です。

Q 無料コミュニティと有料コミュニティはどっちがいい？

A 目的によって変わるが、基本的には無料コミュニティ

オープンしてからしばらくは、創業メンバーみんなで協力してコミュニティに入ってもらえる人を募集していく日々が続きます。主にやることは、一般メンバーを増やすためのアクションです。プラットフォームとして活用しているSNSでの積極的な発信はもちろん、コミュニティに入って欲しい層がいるところには、オンライン、オフライン関係なく発信の場をつくっていきましょう。

コミュニティを無料にするのか、有料にするのかによって、メンバーの集め方や運営方法が異なります。有料コミュニティは、参加者の人数によっては収益化が見込めますし、お金を払って参加しているので比較的アクティブに動いてくれます。デメリットとしては、参加者の募集が無料の場合よりも困難です。参加費以上の価値があることを明確に示すことが必要で、少しでも価値を感じなければ即退会につながってしまいます。

もしもあなたがカリスマ型であれば、有料コミュニティは成功しやすいと思いますが、

恐らくここまで読み進めていただいている方は一般の方だと思うので、無料コミュニティも視野に入れて検討しましょう。

無料コミュニティは参加のハードルが低いので、個人的なつながりや興味だけで気軽に入ってもらえます。しかし、誰でも参加しやすい無料コミュニティだからこそ、重要なのはビジョンや活動内容へ共感してもらえるかです。共感を得られることで、お互いに意味のある有意義な時間になるはずです。ただコミュニティメンバーの数だけ増えればいい訳ではないので、しっかりビジョンや活動内容を理解してもらいましょう。

無料コミュニティは参加者から費用をいただかない分、運営コストはかかります。オーナーの負担は大きく感じるかもしれませんが、有料にするよりも確実に人は集まりやすいはずです。多くの人が集まるからこそできることもあるので、会費とは別でキャッシュポイントをつくる可能性も検討しましょう。

Q コミュニティを成功させる第一歩は？

A 最初の100名までは一点集中

まずはコミュニティを成功させる第一歩として、オープンして最初の1ヶ月間は、

100名のコミュニティメンバーを集めることに集中して取り組んでください。「オープン1ヶ月で100名」は、その後を大きく左右するラインになりますので、必ずここだけはコミットしていきましょう！なぜ、絶対に1ヶ月以内で100名集めて欲しいかというのには、3つの理由があります。

1つ目は「ネットワーク効果」です。人が100名以上集まると、お互いにコミュニケーション量が増え、さらに活性化していきます。これにより、新しいメンバーも参加しやすい環境が生まれていきます。

2つ目は、「エンゲージメントの向上」です。初期の段階で十分に活性化を図ることで、メンバーはコミュニティへの愛着度が高まり、積極性や貢献度も高くなります。その結果、新しく入ってくるメンバーとの交流も起きやすく、コミュニティ全体の活性化につながっていきます。

3つ目は、「モメンタムの維持」です。ビジネスでも共通して言われていますが、最初の勢いはコミュニティにおいても重要です。勢いをつけてスタートダッシュすることで、メンバー同士のモチベーションアップや、次のステージへの成長につながっていきます。そのため、要所要所で勢いをつける意識は常に持っておきましょう。オープン1ヶ月で100名を突破すれば、最初のイベントも成功しやすくなります。

以上のことから、1ヶ月100名というラインはコミュニティを活性化させるための目標数値となりますので、初期フェーズのKPIとして取り組みを行なってみてください。メンバー全員で協力して、SNS発信を強化したり、知人に紹介すれば、十分に可能な数字です。

さらに、今回の100名集める目的とは別になりますが、相乗的に引き起こされる効果もあります。100名という人数が集まっているグループは、周囲から有益であると評価されやすく、新たに加入したいと思っているメンバーにとっては魅力的に映ります。これはソーシャルプルーフと言われているもので、人々が意思決定する際には、周りがどのような行動をしているか、どのような意見が多いかを重視する傾向を指します。

身近な例でいうと、クチコミの星の数や、SNSのフォロワー数、いいねの数などで、人気がある、支持されているなどと判断する現象と同じです。そのため100名もの人がいるコミュニティはそれだけで、信頼されやすくなるのです。

しかしずるい考えで、このソーシャルプルーフだけを先に演出する人がいます。見せかけだけ100名いる風にして、いかにもコミュニティが流行っているかのように見せるのです。これは一瞬盛り上がっているように見えますが、いずれバレた時に一気に信頼を失い、コミュニティ継続はできなくなりますので、絶対にやらないようにしましょう。誠実に取り組んだ結果、得られたソーシャルプルーフだからこそ拡大につながります。

Q 継続し続けるコミュニティの条件は？

A 自走するコミュニティにすること

コミュニティをオープンしたら、何年も継続するコミュニティにしたいと誰もが思うはずでしょう。継続するコミュニティの条件は、自走している（自然に盛り上がっている）ことです。コンテンツ運営経験がない方は、多くの人に登録してもらえばそのコンテンツは勝手に盛り上がる、と思われるのではないでしょうか。残念ですが、答えはＮＯです。

莫大な資金を投じたプロモーションをしているとか、イノベーティブな仕掛けがプラットフォームに入っているなどの例外的な場合を除き、登録者や参加者の人数が多いだけで、何もしなくても自然に盛り上がることは99・99％ありません。

リアルでもオンラインでも同じですが、運営者側から何か働きかけをしたり、ケアをしながら導いてあげることによって、コミュニティ内での動きが徐々に始まっていくのです。特にオンラインの場合は、運営に工夫が必要になります。ここではコミュニティを自走させるために必要な２つの要素についてお話しします。

自走しているコミュニティとは、コミュニティ内のメンバーが自発的に動いており、コミュニティ全体として自然に盛り上がっている状態を言います。コミュニティが自走するためには2つのことを実行する必要があります。一つが、「自走の型」に当てはめること。もう一つが、率先躬行の姿勢を示すことです。

一つ目の「自走の型」は、3つの要素がバランス良く組み合わさって形成されています。3つの要素とは、セルフコントロール、ホラクラシー、パーソナルスタンダード（属人化と標準化のハイブリッド）です。それぞれ簡単に説明します。

ここでのセルフコントロールとは、コミュニティに属するメンバーそれぞれが、コミュニティのビジョンや使命、世界観、ルールなどを理解した上で、自分の意思で立ち振る舞いを決め行動することです。

ホラクラシーとは、フラットな組織形態のことを指しています。ヒエラルキー（会社組織のような、役職や権限などによって構成されたピラミッド型）とは異なり、役割によってグルーピングされ、それぞれが意思決定できる分散的な側面を持つ組織のことです。それぞれが柔軟に動いていくホラクラシー型は、自走を目指すコミュニティと非常に相性のいいスタイルです。

パーソナルスタンダードとは、私が造った造語です。担当者だけが内容を把握している

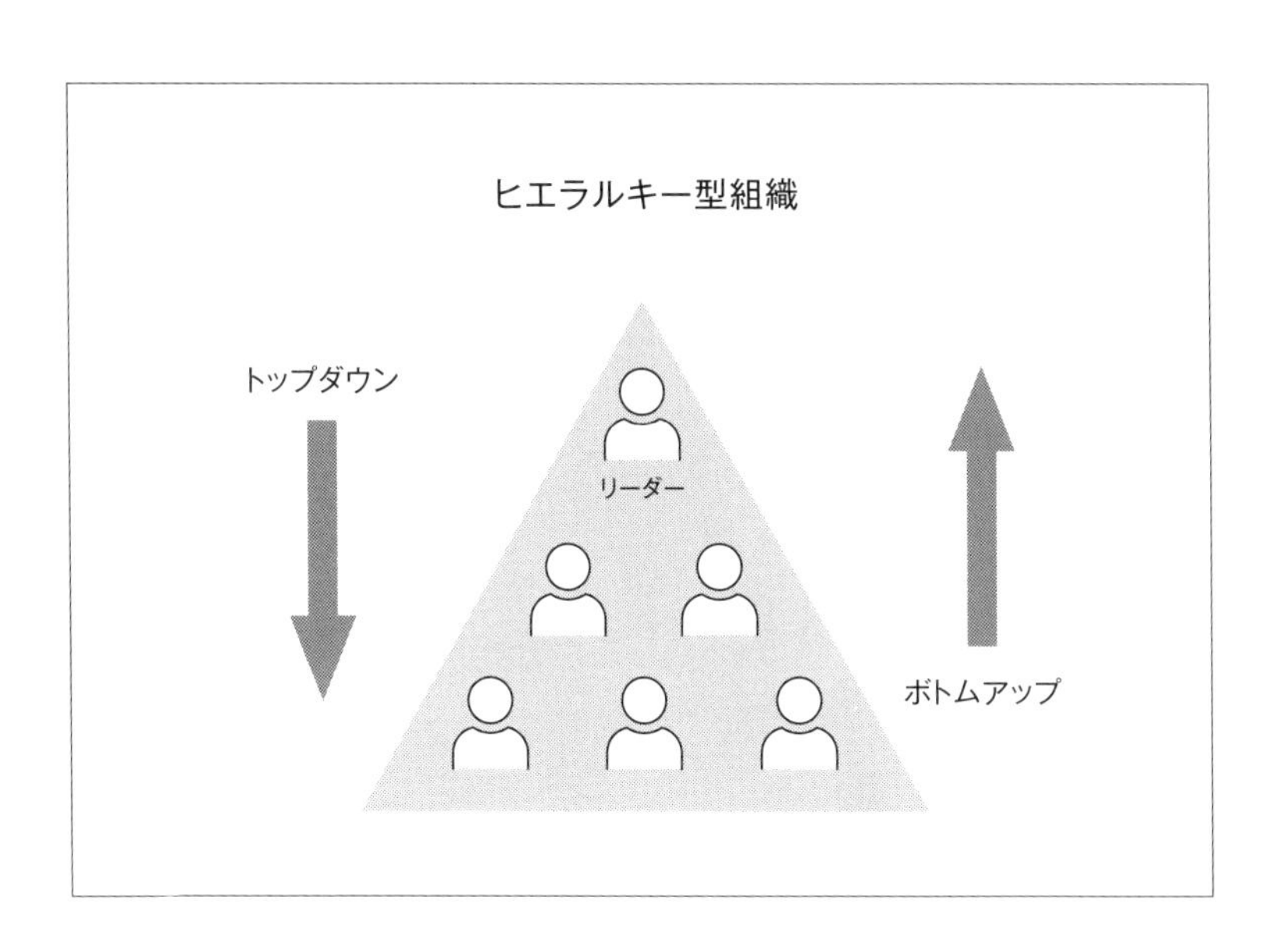
ヒエラルキー型組織
トップダウン
リーダー
ボトムアップ

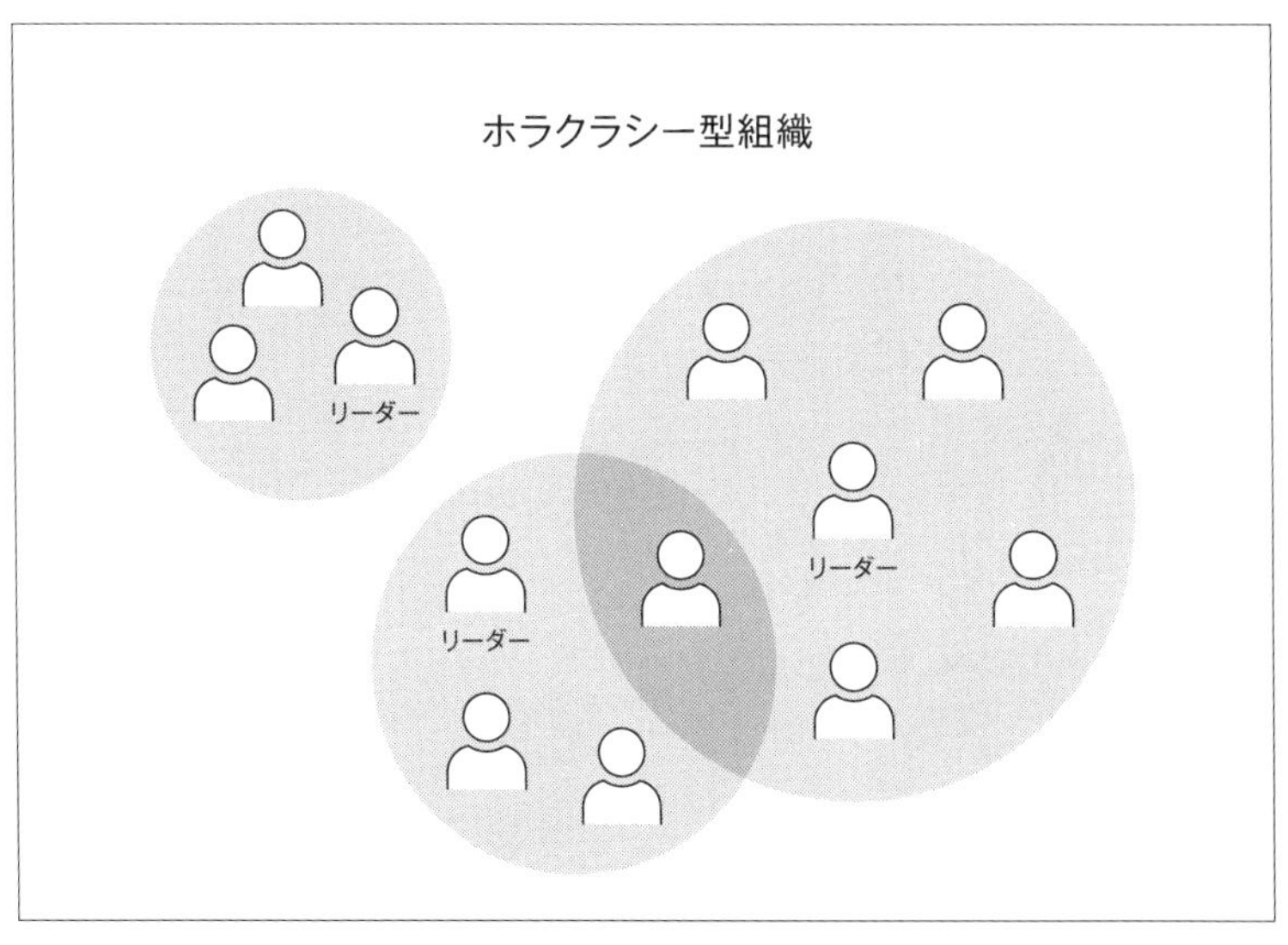
ホラクラシー型組織
リーダー
リーダー
リーダー

「属人型」と、誰もが同じ認識を共有し誰が携わっても品質や手順などが一定である「標準型」のハイブリッドのことを指しています。これら3つの要素がバランスよく組み合わさることで、「自走の型」が形成されます。

2つ目の率先躬行とは、自分が先頭に立って見本を示すことです。オーナーが率先して行動する姿勢は、創業メンバーへ大きな影響を与えていきます。オーナーの姿勢を見て各メンバーのモチベーションは向上し、積極性が増していき信頼関係が強くなっていきます。この影響は徐々に全体に広がり、コミュニティの活性化につながっていくでしょう。その結果、独自のコミュニティ文化が形成されていくのです。

Q 自走の型をつくる鍵は？

A 信頼ベースの「性善説に基づいてつくる仕組み」

ここでは「自走型」のつくり方を具体的に解説していきます。まずはセルフコントロールです。

セルフコントロールは、メンバーが自分の意思でコミュニティにふさわしい行動をすることですが、入ってくれた人が勝手にそうなってくれるわけではありません。セルフコントロールを身につけてもらうためのポイントは、一度ではなく定期的にコミュニティについて伝えていく機会を設けることです。

まず入る前は、コミュニティの目指す姿や活動について説明を怠らず、しっかりと共感してもらった人にだけ加入を促してください。そして加入直後も、オリエンテーションなどのコミュニティへの関わり方を伝え、理解を深めてもらいます。その後も定期的にオーナーや創業メンバーと交流する機会を設けていきましょう。定期的に創業メンバーらとビジョンを共有することで、メンバーであることの意識が強くなり、セルフコントロールが可能になります。

次はホラクラシー型組織のつくり方についてです。まずはメンバーがコミュニティのビジョン・ミッション・バリューを明確に理解していることが大前提です。そのうえで目的に合わせて小さなグループをいくつかつくりましょう。そして、それぞれのグループの役割を明確にして、ルール、プロセス、権限などを決めてください。そこまで決めたらあとは、最後の意思決定をグループに任せます。

ここで大切なのは、重大な問題が生じない限りオーナーは介入せず、各グループの意向を尊重するということです。問題の火種をつくらないためにも、できるだけ情報はオープンにして、透明性を保てる仕組みをつくっておくことも重要です。ホラクラシー型は、メンバーの意見やアイディアが形になりやすいので、主体性が増しイノベーションも起きやすくなるでしょう。

最後にパーソナルスタンダードのつくり方についてです。前述した通り、パーソナルスタンダードは、属人型と標準型の良いとこ取りをしたスタイルになります。まずは簡単に属人型と標準型のメリット、デメリットを説明します。属人型は、ビジネスが個人の能力や経験などに依存することで成り立っています。そのため決断が早くスピーディーに物事を進められることと、個人の強みが100％活かされることがメリットです。逆にデメリットは、その人がいなくなれば全て止まってしまうこと、問題が発生した時の解決方法に限りがあること、多様な意見が出にくくなることなどがあります。

一方で標準型は、誰がやってもできるという状態です。マニュアル化した業務などはこれにあたります。一定の基準に合わせたスキーム（仕組み）が整っているので、誰が対応しても再現性が高いです。メリットは複数人で分担ができること、途中で引き継ぐことができること、業務が効率的になること、あらゆる視点から解決策を考えることができるので、課題解決スピードが早くなることなどがあげられます。

逆にデメリットは、イレギュラーが発生した際の対応が困難になり、柔軟性が低くなること、タスク配分に注意する必要があること、限定された枠内だけで考えてしまうことから、創造性が失われやすいことなどがあります。

では、属人型と標準型のいいとこ取りをしたパーソナルスタンダードとは、どういうスタイルでしょうか。まず大枠は標準化されているので、人が入れ替わっても全体の動きが止まることはありません。ただし各セクションではリーダーを中心に属人化されており、個人の裁量による自由度が高いです。そのため一定の品質を保ちつつ、柔軟性も持ち合わせているのです。

「自走の型」の鍵になるのは、これらのような信頼ベースの「性善説に基づいてつくる仕組み」です。決して行動に制限をかける性悪説で仕組みをつくってはいけません。性善説に基づくべきか性悪説に基づくべきかは、目的や対象とする人の属性にもよります。コミュニティづくりにおいては、性善説で考えていくことが最も自走につながる道です。

Q メンバーの能動性や積極性を引き出すには？

A 率先躬行の姿勢

「自走の型」も重要ですが、仕組みをつくるコミュニティオーナー自身がどういう姿勢でいるのかは、さらに重要です。次は、自走するコミュニティに必要なもう一つの「率先躬行の姿勢」のつくり方についてです。

まず何をしていいかわからないという方は、コミュニティの目的や、ビジョン、ミッション、バリューに沿った行動を体現してみることです。エールプロジェクトの場合は、「女性活躍の応援につながることは何か」と考えて、思いついたことは全てやっています。例えば、自治体や企業との提携、メディアへのアプローチ、ビジネスコンテストのエントリーなどです。創業メンバーで決めたことだけに限らず、オーナーが自分一人で動けることでも構いません。コミュニティのためになることなら率先して行動していくことが、結果的に周りを巻き込んでいくことにつながっていきます。

また、コミュニティをオープンさせて一般メンバーを集めても、運営側が何もしなければ、いずれほぼ全員辞めるか幽霊メンバーになってしまいます。そのため、コミュニティを継続的に運営していくためには、さまざまなアクションが求められます。そして、そのアクションを起こすためには、企画も含めてコミュニティ活動に時間をかける必要があるのです。しかし、他にも仕事や家事育児などがある中で、アクティブに運営していくのは、なかなか骨が折れます。

大変だとは思いますが、ここでつい誰かにお願いして運営を任せるのは絶対にやめましょう。そもそも初期フェーズで運営をオーナー以外がするのは適切ではありませんし、仲間だってあなたと同じように何かと忙しいはずです。そこで人に頼っていては自走するコミュニティはつくれません。

ここに裏技はなく、どんなに大変でもオーナーが自ら率先して動きましょう。率先躬行の姿勢で取り組むことによって、仲間が真の協力者になってくれます。土台を固めるのは、やはりコミュニティオーナー自身に限るのです。何事もまずは自分から動く、見本を見せる、ということを徹底して行いましょう。

ただし率先して動くから、自分が全て抱えなければいけない、ということではありません。一人でタスクや課題を抱え込むことは、オーナー自身が疲弊してしまうことでもあり、周囲を無視した自己中心的な行動です。効率面から考えて、抱えきれないタスクは創業メンバーと話し合い役割分担をしていきましょう。

Q クチコミで紹介されるには？

A アンバサダーマーケティングを取り入れる

コミュニティメンバーを100名集める過程で、取り入れた方がいい手法として、アンバサダーマーケティングがあります。アンバサダーとは、特定のブランド、サービス、コミュニティなどを代表して良さを広める人のことです。アンバサダーマーケティングでは、そのアンバサダーに協力してもらい、プロモーション活動をします。

即効性のあるプロモーション方法ではないので、効果としては長期的に考えていかないといけません。しかし、コミュニティが目指している姿や活動内容を理解しているアンバサダーが協力してくれるので、質のいいメンバーが集まってきてくれるという大きなメリットがあります。

アンバサダーの紹介で加入するメンバー層はアンバサダーに近い層です。ビジョン・ミッション・コンセプト・活動内容などにも共感をしてもらいやすく、コミュニティ内での関係構築やコミュニケーションがスムーズになるでしょう。全体としてアクティブ率が高くなることも期待できます。

アンバサダー活動をより効果的に行なってもらうために必要なのが新規性とエンゲージメントの2要素です。新規性は、ミッションをつくる時に取り入れていると思いますが、それとは別にコミュニティのコンテンツに、新規性を取り入れてみるのもいいでしょう。

エールプロジェクトの場合は「エール通信」というパラレルキャリア専門情報誌があり、定期的に発行をしています。２０２３年現在でも定期購読できるパラレルキャリア情報誌が他にないので、独自の新規性があると言えるでしょう。

エール通信はオンラインマガジンとして誰でも読めるようになっていますが、雑誌版もあり、それはエール公式アンバサダーから直接もらうことでしか手に入れられません。このように入手方法の窓口にアンバサダーを繋げることで、アンバサダーの存在価値が上がり、プロモーション活動がしやすくなります。

2つ目のエンゲージメント（愛着度）は、メンバーやアンバサダーがどれだけそのコミュニティが好きかということです。愛着度を強くしていくことが、同時にアンバサダーの活動を活性化させることにつながるので、アンバサダー含め、多くのメンバーのエンゲージメントが上がる工夫を行なってください。メンバーからの声を取り入れたコンテンツをつくったり、メンバーが一員として誇れるような活動を積極的に行なったり、メンバーへの特典を提供したりすることでエンゲージメントの向上が図れるでしょう。

アンバサダーマーケティングで最も重要なのは、アンバサダーが自信を持って紹介できるコミュニティであり続けることです。自信を持って紹介してもらうためには、入って良かったと思えることがどれだけあるかが重要です。

ビジョン、ミッションを始め、コミュニティの質、メンバーのアクティブ度合い、活動実績、エンタメ性、親密度など、色々ありますが、オーナーも無関係ではありません。能力、見た目、経験、カリスマ性などということは関係なく、最も重要なのは、常にメンバーと「誠実に向き合う姿勢」があるかどうかです。

コミュニティオーナーは、メンバーから「信頼」できる存在でなければいけません。人間関係において「信頼」は最も重要な要素です。コミュニティは人間関係だけでほぼ成り立っているので、コミュニティ＝「信頼」で成り立っていると言っても過言ではないでしょう。その信頼関係は、メンバー側からではなく、オーナーの姿勢が築いていくものです。どんな小さなことにも感謝の気持ちを忘れず、真摯に向き合っていきましょう。

Q 運営していくと、最初に直面する壁は？

A マンネリ化とモチベーション低下

新しかったことが日常的になればなるほど、「飽き」が出始めます。コミュニティ運営も例外ではなく、最初は勢いもあり楽しかったことが、半年が経つ頃にはマンネリ化が見られるようになります。

ここがコミュニティ運営では最初の壁です。ここを乗り越えられると3年は続きますが、マンネリ状態を打破できないと、創業メンバーのモチベーション維持も困難になるでしょう。それが周囲に伝わると、コミュニティへの参加意欲が低下する人が増え始め、2年以内には解散してしまうことが多いです。そうならないためにも、マンネリを感じたら、早めに対策ができるように準備しておきましょう。

コミュニティ運営1年目のマンネリを乗り越える方法ですが、実はノウハウは2割だけで、残りの8割はマインドになります。ノウハウは必須ですが、施策を実施したから最初の壁を乗り越えられるかというと、そういうわけではありません。しかし、マインドとセットで持っておくことで、乗り越えられる可能性が高くなるでしょう。

まずは、ノウハウをお伝えします。コミュニティをオープンして数ヶ月経ち、創業メンバーのモチベーションがやや停滞気味と感じたり、イベントをする時の参加者がやや減少気味と感じたら、マンネリ化の初期になります。

初期サインを感じた時にやることは、新しいコンテンツの投入です。必ず創業メンバー全員で集まり、メンバーの意見を取り入れながら一緒に決定してください。新企画の目的を明確化、アイディア出し、検討、実施計画とゼロから決定までを創業メンバー全員で行うことで、活力が戻るでしょう。新しいことを考える過程は、創造性を発揮できる機会なので、達成感を味わいやすいです。さらにアイディア出しから決定まで関わっていることから、自分で決めたという感覚を持つことができます。また、新コンテンツという新たなことへの挑戦が生まれるので、目標に向かって取り組むことで、モチベーション向上につながっていくでしょう。

いろいろ練って打ち出した新たなコンテンツが、全く人気が出ないかもしれないと心配される方もいると思いますが、全くその通りで、大コケしてしまう可能性は往々にしてあります。しかし、まずはやってみることです。調査や企画に時間をかけて当たるコンテンツを生み出そうと試みることも重要ですが、それよりも、ここではスピードを優先します。

どんなプロダクトにも言えることですが、実際にお客様に出してみないと、最終的な成否はわかりません。新コンテンツの仕上がりが6割程度整ったら、実際にコミュニティにリリースしてみて、フィードバックをもらいながら改善を重ねていきましょう。もしも、改善の余地がないくらい全くウケなくても、そのコンテンツをやめることを恐れないことです。ダメならやめればいいだけです。そしてすぐ、次の新コンテンツを考えてリリースして、またフィードバックをもらい改善を重ねていけばいいのです。結局ヒットコンテンツを生み出すにはこの方法しかありません。

次に、マンネリ期を乗り越えるためのマインドについてですが、これは「何があっても動じない」と決めておくことです。世の中の自己啓発本やビジネス書などでは、どんなことにも困難はつきものと書かれていることが多いので、皆さんも頭ではそれを理解しているとは思います。しかし、実際に自分が当事者として直面すると、やはり落ち込むこともあるし、挫けそうになることもあるでしょう。困難の程度によっては、コミュニティの継続も危うくなってしまうかもしれません。それでも「動じない」ことが必要なのです。ビジョンを明確にする、覚悟を持つ、そして強運であると信じ、これらのようなことから動じないマインドへ繋げていくのがいいでしょう。

Q 創業メンバーが抜けてしまった時の対処法は？

A 価値観を共有した上で新メンバーを迎える

初期のフェーズでは稀なケースではありますが、創業メンバーが何らかの事情で減ってしまうということがあるかもしれません。先ほどの「動じないマインド」があれば、そんな危機的な状況でも乗り切れるとは思いますが、具体的な対処法を知っておくとよりいいでしょう。

創業メンバーが1年目で辞めてしまった時は、追加メンバーを入れる、シンプルにこれが対策です。当たり前と思われる方も多いと思いますが、実際に決断して実行することは意外と難しいです。なぜなら、元からいるメンバーとお互いに協調性を持って進めるか、熱量についていけず置き去りにならないか、遠慮して縮こまってしまわないかなど、新たに創業メンバーを加えたことによる変化を両者が対応できるか、という点を考慮する必要があります。単に新しいメンバーに入ってもらって自然の流れに任せているだけでは、いい融合は起きません。運営に新メンバーを加えた時は、以下のことを行いましょう。

○ビジョン、ミッション、バリューの再共有

コミュニティに入る時に最初に共感してもらっているとは思いますが、改めて新規メンバー、既存メンバーに対して共有し、想いを確認しあいましょう。

○コミュニケーションを増やす

ミーティングや創業メンバーだけの交流イベントなど新規メンバーと既存メンバーのコミュニケーションの場を増やすことで、お互いに理解することができ、信頼関係が築きやすくなります。

○役割分担

みんなで分担して新規メンバーにも役割を明確につくってあげましょう。役割があることで、積極的な行動にもつながります。

以上の3つを実施しながら、新メンバーと既存メンバーが融合しやすい体制を築いていきましょう。

[第4章]

最強のコミュニティづくり

成長編

―スケール期―

Q スケールアップのタイミングは？

A コミュニティ運営が安定してきたら

スケールアップとは、参加者、活動範囲、プラットフォームなどを含めて全体的に大きく成長させることです。このスケールアップにも適切なタイミングがあります。それは土台が固まっていることです。本書では土台が固まるまでの期間を、コミュニティ運営が始まって1年前後（最初のマンネリ期を乗り越えた後）で想定していますが、もし土台が固まるまでに1年以上経過していたとしても、全く問題はありません。それは逆に1年未満の場合も然りです。土台が固まるまでの期間は、規模や創業メンバーの関係性にもよるので、努力目標として1年と設定しておくのがよいでしょう。

気をつけないといけないのは、土台が固まっていないのにスケールアップに向けて舵を切ってしまうことです。スケールアップは、ふと思い立ってできるものではなく、時間の経過で自動的に可能になるものでもありません。もし土台が不安定な状態にもかかわらず、スケールアップを強引に行なってしまうと、運営する人の人員不足が発生したり、混乱が起こることが予想されます。また最悪の場合、コミュニティ内で衝突が発生したり、コミュニティ内の安全性を脅かす出来事が起こり、退会者が増えたり、内部分裂が起こってしまうでしょう。そうなるとコミュニティの成長は止まり、一気に衰退に向かってしまいます。そうならないためにも、土台はしっかり固めておきましょう。

具体的なスケールアップのタイミングは、様々なことが複合的に絡み合っているので、1つだけ要素をあげることは難しいのですが、以下のような事柄を肌感覚で感じたら、スケールアップのタイミングです。

○創業メンバーが安定してきた（3ヶ月以上継続して問題なく運営できている）
○コミュニティメンバーの増加スピードが早くなり、イベント参加者も増加傾向
○一般メンバーから接点を増やして欲しいというリクエストが出始めている
○コミュニティが自走している
○メンバーが成熟してメンバー内に新たなニーズが出てきている

コミュニティにもビジネスと同様にライフサイクルがあるので、成長期、成熟期、衰退期、再生期があります。タイミングが遅すぎると成長のチャンスを逃してしまうので上記のようなことを感じたら、積極的にスケールアップについて考えましょう。

Q スケールアップの準備ですべきことは？

A 運営メンバーの増員

スケールアップの準備で最初にやることは、運営メンバーの増員です。スケールアップのタイミングまでは、できるだけ創業メンバー5名体制で運営を行なって、ここで初めて運営に新メンバーを加えていきましょう。

新たに加わる運営メンバーは、既存メンバーの人数に対して50%～60%だとバランスがいいです。既存が5名の場合は、新規で加入してもらう運営メンバーは最大3名ということになります。もし既存メンバーの人数と同じか、それ以上の人数が新たに加入すると、これまでの個性や文化が薄れてしまい、ほぼ新しいチームとなってしまいます。意図的に新しくつくり直したいという場合を除き、大人数を入れるのはやめましょう。これまで築いてきたチームワークを崩さないためにも、新メンバーの人数は調整していく必要があります。

増員する運営メンバーは、当然コミュニティ内から募集します。応募が来たら必ず一人一人とオーナーが面談を行なってください。面談の際はなんとなくフィーリングで採用するのではなく、将来的に新設したいコンテンツやセクションを描いて面談を行いましょう。

目的を持って面談を行うと採用者のイメージが湧きやすく、応募者に対しても誠実に対応することに繋がります。

しかし、いざ面談を終えると、誰を採用していいのかわからなくなってしまうかもしれません。迷った時の判断基準は3つです。

一つ目は、ビジョン、ミッション、バリューへの共感が強く伝わってくるか。2つ目は、運営メンバーに加わった時に、お互いの強みが活かせそうか。3つ目は、今回募集をかけた目的に沿っているか。これら3つの軸で考えてください。3つの軸で考えても判断ができなかった場合のみ、「この人と一緒に活動したい」というフィーリングで判断しましょう。

新メンバーが決まっても、スケールアップに進む前にコミュニケーション期間をつくるのが望ましいです。そのため、新体制になったら、そこから最低でも3ヶ月〜半年程度は通常通りコミュニティ運営を続けてください。多様なメンバーが絆を深めていくには、コミュニケーション量を増やすことが最も早く確実な方法です。これまでと同じくイベントを企画したり、ミーティングを行うことで、お互いの関係性が深まります。

特にこの新体制の運営メンバーは将来的にも中核を担うメンバーになっていく可能性が高いです。運営メンバーの絆を深めておけば、チャンスをさらに広げることができるはずです。

Q スケールアップで最初にやることは？

A セクションの体制化とリーダーの選出

スケールアップの準備が整ったら、いよいよスケールアップに向けて動き始めましょう。新体制の運営メンバーで、「スケールアップするためにどうしていくか」「そのためには何のセクションが必要か」を話し合います。

最初の話し合いではアイディアがたくさん出るように、質ではなく量を意識していきましょう。次にアイディアが集まったら、質を意識してアイディアを振り分けて、実際に実施できそうなことだけに絞っていきましょう。このように最初は広げてから、後で絞ると、より目的に沿った質の高いアイディアを見つけることができます。やることが決まってきたら、そのアイディアを実現するためのセクションを設けます。

新体制の運営メンバーは、1名1セクションでそれぞれがセクションのリーダーになってもらうのが理想的です。そのため、セクション数は運営メンバーの人数に近い数にしましょう。運営メンバーより少ない分にはそこまで問題ありませんが、多すぎると目が行き届かなくなるので注意しましょう。

また、それぞれの運営メンバーがバランス良く割り振られるとは限りません。運営メンバーの各セクションに対するモチベーションの問題もあります。自立型を目指すためにも、できるだけ立候補スタイルでリーダーは決めていきましょう。

立候補制の場合、リーダーをしたい人が複数人いるセクションと、リーダーをやりたい人が誰もいないセクションが出てきます。リーダー候補が複数人いるセクションは、話し合って誰か一人に決めれば問題ありません。しかし、リーダー候補が誰もいないセクションに関しては、無理やり望んでいないセクションのリーダーに誰かを任命しても、将来的に良い結果につながりません。かといってリーダー不在のまま進めるわけにもいかないので、再び新たなメンバーを募集するのがいいでしょう。

ただ、この場合は募集するセクションが決まっているので、運営メンバーではなくセクションリーダーとして限定された募集をしましょう。こういった募集は間口が狭い印象があり、未経験者が応募しにくく、応募者数がジャンルに左右されてしまうという特徴があります。もし専門性が高そうなセクション名にしていた場合は、応募しやすいようなセクション名にするなど、工夫をするといいかもしれません。

また新設セクションに限り、オーナー自身がリーダーに適任だと感じたセクションメンバーに打診してみてもいいと思います。ビジネスシーンでは、経験値、スキル、統率力などでリーダーを選びがちですが、コミュニティでは経験やスキルよりも、責任感と自主性を重視すると良いチームになる可能性が高いです。

責任感は問題解決力と連動しています。責任感の強い人は、何か問題が起こった時に最善を尽くそうと試みるため、結果として解決へ向かう可能性が高くなります。また自主性が高い人は率先して行動するため、他メンバーの良い見本となりチーム全体が積極的になっていくでしょう。リーダー選定に迷った時は、この2つの要素を参考にしてみてください。

エールプロジェクトの例では、これまでリーダー経験がない人や、過去にリーダーをして上手くいかなかった人でも、リーダーとして成功しています。できる人にお願いするだけでは、可能性は広がっていきません。できるできないは関係なく、「やってみる」ということが、その人を「できる人」へ変えていくと私は考えています。また、それが許されるのがコミュニティです。

Q セクション分けの次にやるべきことは？

A コミュニティの組織化

セクションは、リーダー、サブリーダー、そのセクションの運営メンバーで構成されているので、セクション数に比例して運営メンバーの人数もどんどん増えていきます。セクションの設置と並行して、運営の中枢となる運営本部を設立しましょう。

運営本部は、基本的には各セクションのリーダーだけで構成します。ただ、セクションによっては、コミュニティ全体との関わりよりも専門的な役割を担っているチームもあるので、そこは臨機応変に調整しましょう。セクションのリーダーが本部に所属するということは、それだけリーダーへの負担も増します。コミュニ

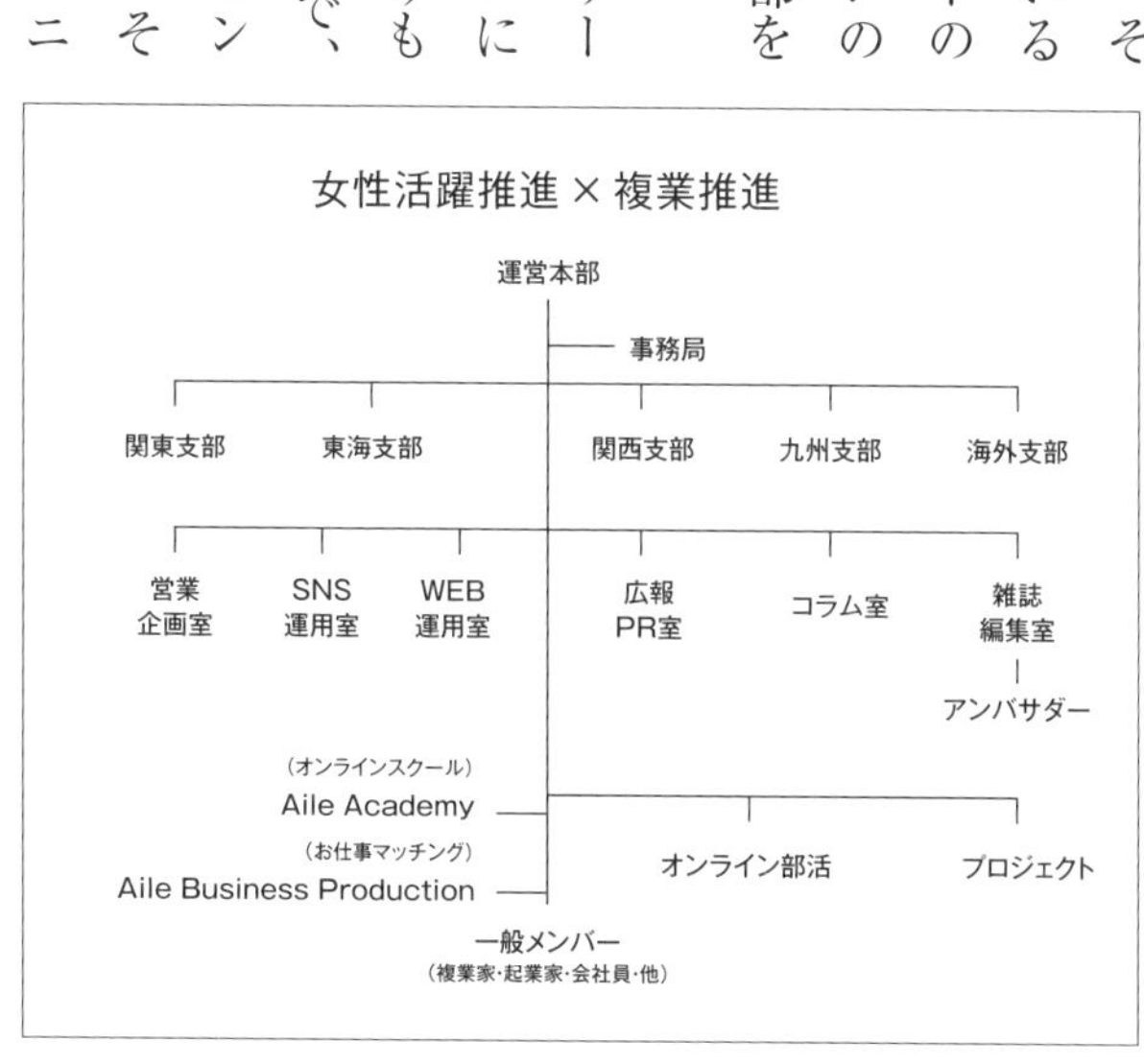

ティは会社ではなく、あくまで自主的に所属している場所です。強制的に所属させるのではなく、各セクションの役割を見極めて判断していくことが大切です。

ただし、各リーダーにはビジョン、ミッション、バリューを自分と同じくらい理解してもらいましょう。運営本部には所属していなくとも、コミュニケーションは密に取りながら、進む方向にズレが生じないようにしておく必要があります。そのため、各リーダーと最低でも1年に1回は、１ｏｎ１ミーティングを実施するのがおすすめです。運営本部の全体ミーティングだけでは十分な意思疎通とは言えないので、一人一人と向き合う時間をつくることが大切です。

組織化において最も注意しないといけないところは、マネジメントです。会社組織とコミュニティではマネジメント方法が大きく異なります。会社の場合は、基本的に利益を上げることが目的になっているため、業績を中心とした評価基準があり、属する個人はその評価によって行動する場合が多いです。そのため、マネジメントは「管理者」の意味を多く含みます。社員も、少々嫌なことがあってもすぐに辞めるということもありませんし、マネジメント側も多少強引なことがあっても、会社の方針であればそれが正となることもあります。

一方でコミュニティは共通の目的のもと、メンバーは全員自由に参加していることから、各自のモチベーションが最も重要な要素です。やりたいからやる、やりたくないからやらないということが許されます。そのため参加者がアクティブに動ける環境をいかに整えるか、そして自分も見本となって動けるかということが重視されます。従ってコミュニティでのマネジメントは「ファシリテーター」や「率先垂範」の意味を多く含むでしょう。

会社組織でマネジメント経験があるからと、コミュニティでも同じようにやってしまうと危険な結果を招く恐れがあるので、あくまでも「自由参加である」ということを前提に環境づくりやマネジメントに努めましょう。

Q 新設セクションを最適化させるには？

A セクションごとにマニュアル作成

品質を保ち、コミュニティの目的からずれないためにも、セクションごとに運営マニュアルを作成していきましょう。マニュアルがあることで、コミュニティの基本的なことや、そのセクションに必要なことの情報共有が容易になるので、解釈違いや連絡ミスなどの問題が解消されます。また、誰もが共通して一定レベルで理解を深めることができるので、セクションとしてもチーム活動を円滑に進めることができるでしょう。さらに、マニュアルがあることでイレギュラーが発生しても対応がしやすくなります。

逆にいえばマニュアルは、ここまではなくても大丈夫です。理由は、先にコミュニティを運営してノウハウが溜まってからでなければ、そのコミュニティ独自のマニュアルはつくれないからです。何もない状態でつくったとしても、当てはまる場面がなく的外れなものになってしまう可能性が高いです。

マニュアルをつくるのは非常に面倒な作業ですし、さらに定期的なアップデートも必要です。しかし、マニュアルがないとさまざまなデメリットが発生します。

マニュアルがない場合は、新メンバーは誰かを真似するか、手とり足とり誰かに教えてもらうしか方法がありません。誰かを真似する場合は、勝手に間違った解釈で覚えてしまう可能性がありますし、再現できるようになるまで時間がかかります。追いつくのに精一杯だと、それだけで疲弊してしまい、すぐに離脱してしまいます。逆に誰かに教えてもらう場合は、フォローする側の負担も大きくなったり、フォローする人によって、理解度や取り組む姿勢にも差が出てしまいます。

このようにマニュアルをつくっていないと、メンバーの負担も増えるということです。誰がやっても一定の品質で再現できることがマニュアルをつくる最大の意義になります。

Q メンバー退会や人間関係の対処法は？

A 入れ替わりはポジティブ循環と捉える

今一緒に運営しているメンバーは、今後もずっと一緒にやってくれるとは限りません。コミュニティの場合は自由参加であるという前提もあり、家族や仕事の関係で突然運営メンバーが卒業してしまうケースもあるでしょう。

運営メンバーがいなくなると、感情面でもダメージを受けてしまいがちですが、コミュニティ全体で考えるとポジティブな循環になると考えて、気持ちを切り替えていくことが大切です。オーナーとして運営メンバーが減ることは、嬉しいことではありませんが、人数が減ることを恐れない、というマインドも重要です。

一般メンバーにおいても同様で、コミュニティのメンバーが退会してしまったとしても、何かトラブルや特定の原因がない限り、お互いの価値観やコンセプトが合わなかっただけと捉え、残ってくれているメンバーを第一に考えましょう。組織内の人の動きを水に例えた話を聞いたことがあると思いますが、水は定期的に循環させることで新鮮な水が保たれます。組織もこれに似ていて、人の循環があると新たなアイディアや視点やスキルが入ってくるので、加わる人によっては全体の成長に大きく影響します。人の入れ替わりはポジティブに捉えていきましょう。

また、コミュニティメンバーの増減で一喜一憂しないためにも、自分自身の在り方を予め決めておくといいです。例えばエールの場合、私は3つのことを決めています。

①エールでは、やりたいことをやりたい人がやる。

②エールは誰にでも平等であり、公平である。

③エールはポジティブな場である。

この3つをオーナーの姿勢として指針にしています。自分が目指すことや重視することが明確になり、指針に基づいて行動ができるようになるので、人の入れ替わりや判断に迷わなくなるし、恐れなくなります。このような指針を持っておくと、周囲の出来事に影響されてブレることがなくなるでしょう。

Q 社会からの価値と信頼を高めるには?

A ビジョンを可視化(実現化)する

誰もが目で見てわかりやすい要素は、コミュニティ以外の人に興味を持ってもらえる機会になりやすいです。

コミュニティの人数もその要素の一つです。あなたのコミュニティでも、もし人数を増やすことがビジョン実現のプラスに働くのであれば、多くの人が所属していることをアピールポイントとして有効活用していきましょう。

エールの場合は、社会的マイノリティの一つである「女性活躍」に関することをビジョンとして掲げているので、コミュニティ人数はビジョン実現にとって有効な要素のひとつです。周囲の人が目で見てわかる事柄（可視化できていること）を、オーナーは継続的に外部に向けて発信していきましょう。SNS発信に加え、オーナーが自ら率先して外部との関わりを持っていくように心がけることで、外部の人にとってもコミュニティの価値が上がっていきます。そうすることで、最初はただの仲良しグループと思われていたかもしれないコミュニティから、社会的な価値を持つコミュニティとして認知されるでしょう。社会的にも価値が高まっていけば、コミュニティ自体の存在が、社会に対してのメッセージにもなり得ます。

歴史的に最も印象に残っているのはキング牧師が先頭に立った黒人解放運動・公民権運動です。きっかけはたった1人の黒人女性の理不尽な逮捕ですが、それを単なる日常的な事件として嘆くのではなく、キング牧師が中心となって地域コミュニティで行動を起こしたことで、大きなムーブメントに繋がりました。もしキング牧師が行動せず言葉だけで訴えるだけだったら、あれだけ多くの人々を感化して社会運動まで発展させることは難しかったでしょう。

また根気よく続けるということも大切です。エールプロジェクトでは、「エール通信」という季刊誌を発行していますが、正確な情報ソースから発信するために、企業や官庁、地方自治体などに取材を行なっています。

この取り組みを何年も継続していることで信頼が積み重なり、今では都知事や県知事に直接取材することができたり、大手企業や行政機関に購読してもらえるようになりました。その継続的な活動がさらなる信頼を生み、大阪・関西万博の共創パートナー採択や、内閣府が運営する地方創生ＳＤＧｓプラットフォームの分科会も持つことができました。

このように少しずつかもしれませんが、ビジョン実現に向けて進捗が見えやすいと、コミュニティメンバーの士気も高まっていきます。ビジョンは長期的な道のりの先に見える世界のことなので、達成するまでにはそれなりの時間や努力が必要です。全く前に進んでいない状態が続くと、周りもそうですが自分自身も熱量が下がってきてしまいます。

小さなことでも構わないので、前に進んでいると感じられることは、コミュニティ全体で共有し、外部へ積極的に発信していきましょう。オーナーの働きかけにより、運営メンバーの士気が高まり、コミュニティ全体の参加意欲も向上していくはずです。

Q コミュニティ活動を最大化させていくためには?

A 競争ではなく共創

コミュニティの認知度が上がり、オーナーとしても外部との交流が盛んになっていくと案件を依頼されたり、協業を持ちかけられたりとチャンスに恵まれることが多くなります。しかし、ここでよく起こる現象が、目指している未来が似ていたり、活動が似ている企業や団体とは、バッティングしないようにと気を使われることです。

そのような場面でも、私はいつも「是非おつなぎください、競合はいません」と言っています。競合がいないというのは、「怖い相手がいない」なんて上から目線で言っているのではなく、コミュニティに競合という概念は存在しないと思っているからです。

企業の場合は利益を追求することが目的なので、マーケットが同じだとパイを取り合う相手として競合と考えていくのはごく普通です。コミュニティも同様と思われがちですが、性質が全く異なります。

コミュニティはターゲットを奪い合うのではなく、価値やお互いの関係性を重視しているので、コミュニティ同士が競合することはありません。またそれは企業とコミュニティの関係においても同じことが言えます。

団体としては競合しなくても、メンバーが他のコミュニティに行ってしまうかもしれないという意味で心配される方もいますが、これも私は全く問題ないと思っています。なぜならコミュニティでメンバーの囲い込みをすること自体、無意味なことだからです。

コミュニティとは、メンバーが自発的に参加して、自分がやりたい活動に関わる自己決定の場です。メンバーの意思ではないのに周りが強制的に一つの場所に縛りつける、ということはコミュニティの本質に反する行為になります。

もし他にも興味があるコミュニティがあって、複数の活動に関わりたいのであれば、誰もがそうするべきでしょう。どちらかが一方のコミュニティの脅威にはならないし、どちらか片方が損をするということもないです。自主性を尊重しないコミュニティにそれ以上の発展はありません。コミュニティ同士は対立するのではなく、一緒に何かできないかと考えていくことが大切です。

もう一つコミュニティの認知度が上がっていくと、出てくるのが「真似」です。あなたのコミュニティが順調であったり、刺さるメッセージを発信していると真似されることがあります。真似をされるということは、相手に良いと認められたということなので、一概に悪いことではありません。わざわざ良くないものを真似して発信する人はいないので、あなたのコミュニティのようになりたい、という憧れの表れと捉えることもできます。

しかし、感情としては、あまり気持ちがいいことではないでしょう。一生懸命に試行錯誤して、生み出された言葉やアイディアを盗まれるのは誰だって嫌なものです。

私もこれまで何度も真似をされてきました。個人レベルでいえばブログの記事を丸ごとそのままコピーされたこともありますし、コミュニティで言うと、キャッチフレーズやビジョンなどを、丸ごとコピーされて無断で記載されたこともあります。

真似された時にどう対応したらいいかは難しいですが、メンバーや周りに誤解を与えてしまいそうな時は、コミュニティを守るためにも、きちんと相手と話し合いましょう。深刻な状況の場合は、専門家の方に相談してください。言葉は真似できても本質そのものまでは真似をすることはできないので、慌てずに対処しましょう。

Q メンバーに長期的に属してもらうには？

A 信頼関係と価値提供

長期的にメンバーに属してもらい続けるポイントは2つあります。それは「信頼関係」と「価値提供」です。コミュニティの活動を通すことで、メンバー間の関係性は深まります。するとと自然に連帯感が生まれ、それぞれの信頼関係が育まれていくでしょう。信頼し合える人が多ければ多いほど、コミュニティと関わり続けてくれるメンバーも増えていきます。そのためメンバー同士の信頼関係構築は、コミュニティ継続に必要不可欠な要素です。

価値提供は、「コミュニティに属してよかった」とメンバーに感じてもらえることです。価値に関しては、コミュニティによっても異なるので、エールプロジェクトでの「価値提供」について、例をあげたいと思います。

私が意識して提供している価値は、情報に加え、「成長」「人とのつながり」「報酬」の3つになります。テーマとして掲げている「学び×つながり×挑戦」は価値提供を含ませた表現にしていますが、どれかの価値を得られる機会を全てのメンバーへ提供しています。メンバーが価値を感じることと、信頼し合える仲間がいることで、コミュニティは持続的な存在となっていきます。

また、継続するコミュニティの根底にある考え方として持っておいた方がいいのは、「先に相手を勝たせる」というポリシーです。これはコミュニティメンバーに対してもですが、他団体や企業や行政など外部との交流の際も同じです。基本的に自分以外の誰かと一緒に何かをする時、私は「先にＧＩＶＥ」をポリシーにしています。

これは自分の実体験から学んだことです。私がまだ起業したばかりの頃、当時は「先に相手に利益を与える」なんてことは全く思っていませんでした。どちらかというと、勤めていた会社の体質的なところもあり、「自社に利益が出るかどうか」が判断基準になっていました。

そんな時とある交流会で、嘘みたいに利他的な方に出会いました。その方は、何も実績がない私に、「あなたのビジネスにプラスになることは何かできるか」、「自分ではできそうになければ、あなたの助けになりそうな人を紹介する」ということを、何度も何度も繰り返してくれました。まさに「ＧＩＶＥ」だけをしてくださったのです。

その「ＧＩＶＥ」に対して私は何も返すことができなかったので、自分のできる範囲で恩返しになりそうなことは全て行いました。そうこうしている中で、すごいと感じたり、尊敬できると思える人には共通して、先に「ＧＩＶＥ」という姿勢があることに気が付きました。そしてそういう方は全員、ビジネスでも大成功をおさめている方だったのです。

それから私もその方々を見習い「先に相手を勝たせる」ことを意識するようになりました。実際、利益先行の会社員マインドから、「ＧＩＶＥ」を実践して先に価値提供の起業家マインドへ変わっていったことで、紹介も増えて出会う人にも恵まれ、チャンスがどんどん舞い込むようになりました。今、素敵な仲間に恵まれて、パラレルキャリア推進委員会®としてエールプロジェクトを遂行できているのも、そのおかげだと実感しています。

Q スケール期の配分

A 守り3攻め7

コミュニティのスケール期では、拡大するにつれてそれなりに心配事も出てきます。しかし、割合的には守り3、攻め7で前に出ることに比重を置いて、オーナーとして露出を増やしていきましょう！前に出るということは、「私すごいでしょ」と自分をアピールするということでありません。コミュニティのための広報活動を行なっていくのです。

コミュニティで実現しようとしていること、仲間達の活躍、コミュニティの目指す社会などをオンライン、オフライン問わず発信していきましょう。志が同じだったり、ビジョンに共感できる他の団体や企業などとは、積極的にコラボレーションしたり一緒にプロジェクトを立ち上げていくのが良いでしょう。コミュニティの可能性もどんどん広がっていきます。

コラボを成立させるポイントは、まず先に相手の利益を優先して考え提案することです。「あなたの力を貸してください」のような一方的なくれくれでは、一緒に組んでくれる人はいません。お互いの領域で共通目標を立て、そこから両者が得られるメリットを導いたプランを提案します。合わせてコラボ期間なども決めておくと、わかりやすくていいでしょう。

また一緒にやることになり売上が発生した場合は、売上金は7対3や8対2など、相手の利益が多くなるようにすることがコツです。極論、時には10対0で全て相手の利益でも構いません。お金だけではなく、人や情報のリソースも同じです。ここでも自分の利益は後にして、先に相手にGIVEすることで、その相手と継続的にいい関係が続くことができます。それを続けていればGIVEした時よりも、さらに大きなチャンスや利益が巡ってくるでしょう。実績ができるまでは先行投資だと思って、出し惜しみすることなく利益を与えましょう。

Q 仕組み化する上で大事なこと

A 組織体制や運営方法など、多角的視点を持つ

どんなことでも仕組み化することは重要です。仕組みをつくることで再現性が高くなったり、プラスアルファが生まれたりします。エールプロジェクトのコミュニティでも、これまでの経験をもとに仕組みをつくっています。その一つがコミュニティの根幹を、柔軟性の高いホラクラシー型組織にしていることです。これにより自分一人だけの頭ではなく、本部メンバーや運営メンバーの頭脳を借りて、たくさんのアイディアの中から、厳選された企画をつくることができます。

また継続するコミュニティのポイントである「信頼関係」と「価値提供」という面でも可能な部分を仕組み化しています。例えば本部メンバーや運営メンバー間も信頼関係構築のために定期ミーティングを行なったり、食事会を行なったりして接触頻度を増やす仕組みを構築しています。価値提供については、Aile Academyという学びの場を立ち上げ、新たなスキルを身につけ成長できる仕組みがあります。

また、エールビジネスプロダクションという、お仕事マッチングサービスを立ち上げました。メンバーのこれまでのスキルや経験を活かして、企業からのアウトソーシングやプロジェクトを受託したり、プロダクションパートナーとして案件を獲得してきたメンバーにはフィーをお支払いするなど、報酬を得られる仕組みもつくっています。報酬以外にも、テレビなどマスメディア出演に繋がったり、コミュニティメンバーが色々なジャンルで活躍できるチャンスとなっています。

「風が吹けば桶屋が儲かる」という因果関係を表したことわざがあります。時代的に結びつかない箇所はご容赦いただきたいのですが、このことわざは一見無関係のように思える繋がりでも因果関係がある、ということの例えになります。

このことわざのように因果関係を視野に入れて仕組み化すると、有料化して直接運営費を取るモデルでなくとも、コミュニティから多角的事業へと拡大していくことも可能になってきます。そしてより自然に、浸透しやすい仕組みができていきます。

[第5章]

コミュニティで人生が変わった！
7名の女性たち

ここまでは、コミュニティのつくり方についてお伝えしてきましたが、この章では、コミュニティメンバーの生の声をご紹介していきます。実際にエールプロジェクトでリーダーとして活躍しているメンバーの中から一部の方に、コミュニティを通してどんな変化や成長があったのか体験談を聞かせていただきます。それぞれの背景も、参加したきっかけも全然違う7名の女性から、忖度なしのリアルな声を是非参考にしてみてください。

実例①【自己成長】

創業メンバー・WEB運用室リーダー：朝賀ちひろ／パラレルキャリアママ

ひとつじゃない？　私の肩書きはどんどん増えていく！

エールに出会う前の私は会社員でした。残業時間100時間超え、国内外の出張も多く、携帯の着信履歴は午前中で埋まり、お昼はコンビニで買ったものをデスクで食べながら仕事をし、休日に友だちの家でも仕事の連絡を受ける…。そんな働きづめの日々です。しかし、その中でも「楽しさ」や「やりがい」「自己成長」を見出してしまうポジティブさが私にはあり、仕事にとことんのめり込み、会社員一筋で生きてきました。

ある程度仕事が出来るようになり、今後の自分のキャリアについて考える時間ができた時、ふと悩むことがありました。会社が示す女性のキャリア研修が、うわべだけのように感じてしまったのです。自分のキャリアや挑戦について上司に相談しても「サラリーマンだから諦めろ」と言われたことや、自分では気付かぬ間に体調を崩し、会社で流産してしまう、という悲しい出来事もありました。

「会社員」の自分も好きでしたが、そういったことが重なり「私のキャリアはこのままで良いのか？」という問いに自分で答えられなくなっていました。そんなとき、美宝れいこさんと「パラレルキャリア」の言葉に出会い、「会社員を卒業しよう！」と決心することができたのです。「会社員」という肩書き一つに固執しなくて良いと思えた事と、自分のやってみたいことへの新たなチャレンジに向けて踏み出してみたいと思ったのがきっかけです。

会社員を卒業した後すぐに美宝さんから、パラレルキャリア推進委員会®が主宰する女性支援団体「エールプロジェクト」を立ち上げる、というお話を聞きました。ビジョンにとても共感したため、創業メンバーとしての参加を決めました。

エールに入ると、誰でも手を挙げることが出来るオープンな挑戦の場が多くあります。そういった場で経験を積むことで、今までの環境では出会えなかった「新しい私」にたくさん出会うことが出来ました。

▼コミュニティメンバーで助け合い、大学サブ講師を務める

私がコミュニティに入ってから挑戦したことは、都内私立大学のサブ講師を務めたことです。もともとは会社員として商品企画、営業、マーケティングという職種だったため、全く新しい職種には不安がありました。しかし、念入りな事前準備や学び、一緒に担当する講師陣との連携をとることで、無事務め上げることが出来ました。特に一緒に挑戦したエールメンバーとは、疑問や不安などコミュニケーションをとりあって進んで行くことができ、非常に心強かったです。これはコミュニティならではと実感しました。

また、講師としての経験を重ねるうちに自信がつき、生徒が出来るようになる過程を間近で見られる喜びなど、自分が好きなやりがいを新たに発見できたことが嬉しかったです。未経験でも挑戦してみることで、次々と自分の「出来る」が増えていくことがわかりました。

▼思い切って企業顧問へチャレンジ

企業顧問の募集があり、「私が企業の顧問なんて…」と最初はとても悩みましたが、思い切ってエントリーしました。背中を押されたのは、美宝れいこさんの「出来る、出来ないを決めるのはあなたではなく相手！」の言葉です。自分から出来ないと諦めてしまってはチャンスも可能性もない、だから思いきりました。その結果多くの書類選考の中から、

最終面談まで選んでいただきました。自分の経験からくる価値観で出来ないと決めつけてはもったいない、と知ることが出来た経験でした。

▼自分のやりたいことで起業家になる

開業届を出し、現在は数千人が登録するネイルマッチングサイトを企画運営しています。エールで得た知識や経験を活かし、現在も拡大中です。

エールメンバーには起業している方も多いので、次なるヒントに気付かされたり、お互いにブラッシュアップし合ったりと、切磋琢磨しやすい環境です。（オンライン部活もあります。）メンバー同士は馴れ合うのでは無く、それぞれが自立しているので、お互いに心から応援し合える環境だと感じています。

▼あの頃の自分と重ねて大学生のキャリア支援を行う

エールでも多くのキャリアを学ぶ機会がありますが、それを活かして都内私立大学の社会人メンターとして活動しています。

大学生時代、就職活動で悩みに悩みました。就活ではなかなか企業に採用されず、自分は社会から必要とされないのではないか、と落ち込みました。企業に入る道しか知らなかったあの頃の私ではなく、会社員時代の一方通行の狭いキャリアしか知らなかった私でもないからこそ、「パラレルキャリアとして多様な働き方があるよ」、「未来は自分次第で広いよ」、と学生に伝えています。

▼大切な人生の時間を過ごす3児のママ

エールに参加してから、私は2回出産（2回目は双子）をしており、現在は3児のママです。心身ともに大変なときは無理せず「育休」としてエールの役割やミーティングのお休みをいただきました。自分の生活を大切にした上でコミュニティにも関わっていける、そして多様な環境や考え方をお互いに尊重し受け入れてくれる、これがコミュニティ在籍を継続できる秘訣なのかなと感じています。

▼「楽しい」が勝るコミュニティ

エールへの参加によって、自分の可能性は大きく広がりました。人に話すと「そんなにやって大変じゃない？」と言われることもあるのですが、無理しているわけではないのです。自分の大切なものを優先した上で、挑戦しているだけなので「楽しい」が勝ります。「サラリーマンだから」というような縛りは一切ありません。エールでの参加頻度や、やりたい企画の提案などすべては個人の自由です。そして何よりも多様な職種、経歴の方と出会えることで、「キャリアはもっと広い」、「自分の可能性ももっとある」ということを知ることが出来ます。

最初はわたしも「会社員」という肩書き一つの人でした。このコミュニティに出会っていなかったら、今も一つの肩書きしかなかったかもしれません。しかしエールというコミュニティがあることで、これからもわたしの肩書きはきっと増えていきます。コミュニティの可能性がこれからも広がるのと同時に、より多くの女性の新しい可能性が開かれると感じています！私は自分の可能性を自分で信じられる場所、エールプロジェクトというコミュニティが大好きです。

実例②【本業に還元】

創業メンバー・Aile Academy 副代表・コラム室リーダー：
井上ハルナ／技術系フルタイム総合職×食講師×2児の保育園児ママ

コミュニティリーダー経験が社内のキャリアアップにつながった

「フルタイム会社員、個人での複業、子ども2児の子育てで既に忙しい中で、どうしてコミュニティの運営までしているのですか？」これは私がこれまで数えきれないほど受けてきた質問です。コミュニティ運営に携わったはじめの頃の答えは、私自身の中でもはっきりとしておらず、「やりがいのため」、とか「女性活躍推進」（恥ずかしながら当時は上辺だけ…）でした。今なら、「コミュニティ運営に携わることが私自身の成長につながり、その成長が本業での会社員としての成果にも還元できているから」と胸を張って答えます。

▼創業メンバーとしてエールプロジェクトに参画

私は、技術系社員として必要な資格を取得後、社内での目標はほぼない状態でした。「波風立てず、定年までこの会社で働こう。だけど、定年まで会社が面倒見てくれるかもわからないし、自分でできる仕事も構築しておこう。」と、会社での仕事とは全く違う個人での仕事も複業として始めていました。

プライベートでは自身のライフプランに沿って結婚・出産をし、社内の技術職としては初となる若年層での産休・育休を取得しました。必死の保活が実を結び、無事に復職が決まりましたが、同職種の若年層で育休を取得した事例がなく、復職後のキャリアが見えませんでした。間も無くやってくる子育てしながら復職する姿を想像すると、闇の中に踏み込むような気持ちでいっぱいでした。

そんな時、代表の美宝れいこさんからコミュニティの立ち上げに参画しないかとお声がけいただきました。私の力を必要としてくださるのであればと、二つ返事で創業メンバーに加わったのです。

▼セクションリーダーになってから

復職後はがむしゃらに仕事と育児の両立に励む日々。誠心誠意で仕事に取り組んでいましたが、会社で大きく評価されるような実績を残せているとは思えませんでした。そして復職直後からコミュニティ準備も本格化し、その後、正式オープンを迎えると、運営メンバーだけでなくコミュニティのメンバーともやりとりが始まりました。

私はコラム室という一つのセクションを任せていただき、リーダーとしてこれまで延べ100名以上のコラムニストさんとやりとりをしてきました。コラム室のミッションは、①サロンメンバーに学びになるコラムを届けること、②コラムを届けてくださるコラムニストの認知拡大・サポートをすることです。

最大30名のコラムニストさんを一人でサポートしていた時もありましたが、ありがたいことに「コラム室の運営を一緒にやりたい」と手を挙げてくださるメンバーのおかげで現在は3名でサポートをしています。

一人で運営していた頃は、時間的にもスキル的にも発想としても出てこなかった企画が次々と生まれ、企画を実行していく中で、チームで仕事をすることの素晴らしさ、チーム運営の楽しさを感じています。コラム室の運営メンバーも、コラムニストさんたちも、皆さんわたしよりも年齢が上で経験豊富な方達です。本業ではそんな方々をまとめる経験はなかなかできませんが、セクションリーダーとして20代で実践できたのは、「挑戦」を応援するエールだからこそ。エールプロジェクトというコミュニティでは、これまで触れたことのない業種・経験をされた方との出会いや、会社員としてだけでは100年経っても得られない価値観を与えてくれています。

▼モチベーション維持の秘訣：そこで得たいものの明確化

私の会社の女性比率は10％、技術系部署は3％ほどしかありません。上司はもちろんのこと、同年代の同僚男性ですら、働く女性への考え方はアップデートされているとは言えない状況です。

フルタイム勤務を選択して復職し、残業も男性の同僚と変わらないレベルでこなしても、不必要にモチベーションを下げるシチュエーションは何年経ってもほぼ減りません。確認なく時短勤務前提で会話が進められることや、お子さんのいる男性社員にはまずかけられることのない「こんな時間まで働いて家庭は大丈夫？」（仮にダメといっても業務量の調整がされるわけではない。）といった言葉は、一発ＫＯには至らなくても、じわじわと効いてきます。

さまざまな工夫をして家庭と仕事を両立させても、仕事をする上での言い尽くせない葛藤があり、正直「女性の多い職場だったら…」と考えることもありました。それでも私が会社勤めを続ける理由は、大企業だからこそ携わることのできるプロジェクトへの魅力と、人として尊敬する上司・同僚と、チームでものづくりができる職場だからです。１００％完璧な場所はないため、自分がそこで得たいものを明確化し、割り切ることが必要だと考えています。そして、それは本業とは別に複業をしたり、コミュニティに所属しているからこそ、しがみつくことなく割り切れるのだと思います。

▼本業への還元

二度目の育休からの復職直後、全国の同職種約１０００名の中からリクルート誌への掲載に抜擢いただきました。技術職の女性志望者が増加しているため、実際に子育てしながら活躍している女性として生の声を届けてほしい、と依頼されたときには驚きました。社内で目立つ仕事を担当したこともなければ、異例のタイミングで育休取得していたことから、会社には迷惑がられているのではないか、という思いが少なからずあったためです。

しかしキャリアとしては異例の人材でも、会社として適材適所に配置しようとしてくれているのでは？と考え方をすぐに切り替え、オファーを快諾しました。これもエールで多様な価値観に触れ、「挑戦」する風土に慣れていた経験があったからです。

その後、復職から約1年で、転勤で住み慣れた東京を離れることになりました。夫が単身赴任している中、2児の保育園児を連れての転勤で、不安は最高潮に達し、ストレスで蕁麻疹と闘う日々。ですが、転勤した先にもエールの支部があり、現地のメンバーに心からの歓迎を受け、不安な気持ちを吹き飛ばしてくれ、転勤直後の生活の立ち上げがスムーズにいきました。どこに行ってもコミュニティの仲間がいることの安心感は心地よく、エールの広がりとありがたさを体感しました。

転勤直後、今度は他部門からお声がけいただき、某大手WEBメディアで女性活躍に関する掲載のオファーをいただきました。WEB掲載を上司・同僚だけでなく、役員らも評価してくださっており、会社に貢献できていることを実感しています。

技術職としての職務を遂行しながら、本来縁のないはずのリクルートや社外への広報活動の領域に職務範囲が広がったことは、社内での私の立ち位置、これからの在り方に自信を持たせてくれキャリアアップにつながっています。この自信は、他でもなくコミュニティの運営に関わり、社外で成長できていたからこそ得られたものです。エールというコミュニティは、フラットに挑戦・スキルアップできる場所です。

実例③【会社員卒業】

Aile Academy代表・海外支部長：田中なな／SNS発信専門家・タイ在住起業家

海外からの参加で挑戦心拡大！独立起業の夢を叶えた！

当時、シンガポールで13年の海外勤務と営業職でキャリアを積んでいた私は、「会社員としてもまだ学ぶことあるよね？」という気持ちと、「将来は独立起業したいんだよね？」という気持ちの狭間で常に揺れていました。

特にシンガポールでの仕事は、その前に勤務していたタイ拠点ヘッドとしての成果が認められたご褒美としての赴任。しかし、家族一緒に暮らすにはタイで弁護士をしていたタイ人の夫はキャリアを中断しなければならず、バンコクの小学校に通う長女の友達関係にもヒビを入れる代償も…。そこまでして手に入れたシンガポールの仕事なのに、赴任10ヶ月目にして、「私ってば、『会社員卒業』の予感⁉とんだ戯言だわ」と。

それだけではありません。エールと出会った時、私は42歳の高齢で第二子妊娠までしていて、普通に考えたらこれ以上活動を増やせる状況ではありませんでした。それでもなぜか、前に進むことを止められなかったのです。エールで変わっていく自分にワクワクが止まらない！という状態でした。

なぜ、そんなにもエールとマッチしたのかというと、エールが目指す世界が好きだからです。エールは女性活躍推進と複業推進を掲げる社会派コミュニティ。自分一人でできる活動を超えたところで生み出される価値創造の大きさに、私はすっかり魅せられたのです。

当時の私は、すでに個人で長年ブログ発信をしており、パラレルキャリアもやっていました。けれども、それは個人としての成功と達成を頂点とするものです。エールには各省庁・行政や大企業との共創プロジェクトも多数あり、そのことに挑戦心が刺激され、とてもワクワクしました。

オンラインで繋がれる今、住む場所はほとんど関係ありません。海外に住んでいると「日本にいないから」という理由でいろいろなことが出来ないと思っている人に出会います。断言します。海外からもできることはたくさんあります！日本在住者と全く同じ環境とは言えないにしても、できることの中で自分のやりたいことを見つけて、遠慮せず手を伸ばして欲しいのです。

私がエールで活動を始めたのは、コロナの影響で外出ができなくなった2020年3月頃でした。私は会社員で顔出しもできなくて妊娠までしていたのですが、美宝れいこさんのプロダクション創立メンバーに応募しました。その時の応募条件は「顔出しできる人限定」だったのに、です。

初めのミッションは海外支部の立ち上げ。エールには既に国内支部がありましたが、海外支部はありませんでした。私が海外支部長となって、海外とのつながりがある人を集めてみようという試みでした。私は誰に言われたわけでもなく、「3ヶ月以内に50名を集める！」という目標を掲げ、SNSで呼びかけを始めました。周囲の人たちにブログで声をかけると、皆が次々と海外支部に入り、エールの活動を絶賛してくれました。そして50名の目標は瞬く間に達成。私自身も自分が惚れ込んだコミュニティを紹介することは喜びであり、ますますエールへの熱が上がっていったのを覚えています。

さて、会社員卒業というと、「会社を辞めても稼げる？」という話が多くなります。それも大事なポイントですが、収入だけではないのです。会社員の立場を手放すことを考えた時、職場の人とのつながりにも価値があることに気づきました。

①その組織の一員であるという帰属意識

②ビジョンが同じ仲間や尊敬できる上司の存在
③社会に貢献できている感覚
これらが合わさってこそ、仕事に対する誇りも生まれます。会社＝コミュニティであり、人とつながる場の一つとして価値があると思うのならば、「会社の代わりになる場を見つけよう」と思いました。

エールと濃く関わるようになり、「代わりになるかも？いや、会社以上に好きかも」そう感じる瞬間が増えていきました。エールが自分の居場所の一つになったこと。それはやはり大きな価値で、「会社をいつ辞めてもいい」が加速するポイントになっていったのです。

その後、私は20年勤めた会社を、自分と家族にとってベストなタイミングで辞めることに成功。再びタイに移住し、夢だった独立起業を海外の地で叶えました。より大きな挑戦ができる自由を手に入れ、自分個人としても存分に活動しつつ、仲間と繋がりながら複数の仕事を同時に回しています。

現在、エールではパラレルキャリア専門スクール「Aile Academy（エールアカデミー）」の代表も務める傍ら、3Leader'sという本部中核メンバーとしても活動しています。

スクールの代表をやって欲しいと言われた時「そんな大役、自分にできるだろうか」という葛藤がありました。けれども、難しいと感じる役割を担ってこそ、人は成長できるし、もっと成長するチャンスになるとも思ったのです。Aile Academy代表になることは、中核メンバーになることと同義であり、今は最先端で船を漕いでいる気持ちです。それはエールというコミュニティに対し、さらなる時間も労力もかけるという約束であり、その結果として「やりがい」「経験値」も増えていく世界です。これこそ理想のパラレルキャリアであり、自らの決断にとても満足しています。

海外に住んでいても、どこにいても同じ志を持つ仲間と繋がり、パラレルキャリアで最大限に自己実現していく。その姿を私自身が今後も人生を懸けて体現していけるのが、コミュニティの可能性です。

実例④【新たな挑戦】

広報PR室リーダー、関西支部長、雑誌編集室取材担当：
下河内優子／部屋と心を整える専門家・3児ママフリーランス

エールとの出会いが新しい生き方のキッカケに

▼可能性の扉を開けた瞬間

私がエールプロジェクトに入ったキッカケは、複業をしたい、もっと活躍したいという熱い思いを持ってではなく、当時エールでコラムを書いていた友人の記事の続きを読みたいというありがちなものでした。その友人の投稿のコメント欄にあった、エールプロジェクトのリンクを気軽に押した。これが可能性の扉を開けた瞬間だったことに気づいたのは、ずっと後のことです。

当時の私は大手金融系企業に20年以上勤務しておりましたが、事務職として与えられた仕事をこなす日々。2人目を出産・復帰して以降、13年間一度も昇給・昇格がなく、モチベーションの保ち方を見失っていました。

そんなタイミングで参加したエールプロジェクトというコミュニティはパラレルキャリア（以降複業と表記）を推進する団体で、その中には複業や起業をして生き生きと活躍する、これまで私が出会ったことがない女性たちの姿がありました。2019年は会社も世間も複業禁止が当たり前の時代だったので、「会社員以外に収入の柱を持つ」という発想は、会社員だった私にとって憧れでしたが難しく感じていました。

そんなある日、エールプロジェクトの中に流れてきた【活動拡大につき運営メンバー大募集！】という文字。いくつかのセクションで活動に携わる運営メンバーの募集があったのです。そこにはこう書いてありました。『「できるか」「できないか」ではなく「やりたいか」「やりたくないか」だけです！ぜひ、全国のすてきな方達からのご応募をお待ちしております！絡みがない人もはじめましての人も大歓迎です♡』

「あれ？これなら私、条件に当てはまってるんじゃない？」と思いました。「やりたい」「大阪だけどOK」「絡みがなくてはじめましての方でもOK」なら応募してみるだけしてみよう、と。その時は雑誌編集だけ3〜5名募集していたので、一番可能性が高いと思って手を上げました。

▼「やりがい」を経験する

無事に採用してもらい雑誌編集のメンバーとして動き出した私は、取材オファーとインタビュアーを担当することになりました。人生初のインタビューは元祖ノマドワーカーとして情熱大陸に出演経験もある安藤美冬さん。大緊張の中で行なった取材でしたが、安藤さんの口から語られる「自分を極めた生き方」がとても興味深く、大興奮で取材を終えたのを覚えています。

そこから別の担当者が文字起こし、原稿作成、構成、デザインなどを施して、一つの記事として仕上がります。実際に雑誌として手元に届いたときの感動は一生忘れられないでしょう。

誰に取材するか、電話やメールでのオファーの仕方、アポどりや当日の進行など、事務職で働いていた私にとって全く未知な世界だったので、一から全て教えていただき、メンバーと相談しあって成長してきました。

プロボノの活動なのでお金はいただきませんが、それ以上に私が求めていた「やりがい」という報酬を受け取ることができ、これからの人生において、とても意味のある経験でした。何より企画から誌面づくりまで自分たちで手がけたことで、大きな自信につながりました。

▼会社での働き方の変化

エールでは他にも、関西支部長として本部の運営に携わるようになり、代表の美宝れいこさんの元でリーダーとしての在り方にふれる機会をいただいています。これまでは雇われる側でしか組織というものを見てこなかった私にとって、れいこさんの発言や行動から、その奥にある経営する側の視点というのを学ばせてもらっています。

そして、組織を運営していく中で、求められる人材とはどんな人か、何をしてくれると嬉しいか、どういう風に伝えられると話を聞きたくなるかなど、実際に自分もリーダーポジションに就くことで、これまでとは全く見え方が変わってきました。

会社員として業務内容は同じまま、意識の持ち方を『待遇改善のための雇われる側の主張』ではなく、『組織貢献のための経営する側への提案』に変えることで、ゴール設定、切り口、プレゼンの仕方、資料の作り方などが自然と変わりました。その結果、提案が通りやすくなったり、上司との関係も良くなったり、事務部門の企画チームに配置替えがあったりと働き方が変わりました。

▼本当にやりたいことが見つかった

複業の転換期は2021年2月に『Aile Academy』というパラレルキャリア専門スクールに入ったことです。当時働いていた会社は2020年11月に複業が解禁になりました。私はすでに朝活運営やイベント、勉強会開催などの活動を行なっていたので、周りからは活躍している人と見られていたかもしれません。しかし、その中のほとんどが継続性のない偶発性の産物でしたので、しっかりとした収入の柱を持ちたいと思っていました。

アカデミーでは様々なカリキュラムが用意されていて、人生の棚卸しや、強み発掘など、自分を徹底的に見つめる機会がありました。その中の一つに仕事のポジショニングを決めるタイミングがあったのですが、これがいくら考えても見つけられませんでした。

私は長女の出産時、必要に迫られて始めた片づけによって、人生が好転した経験がありました。そこで片づけを教える仕事をしたいと思っていましたが、ポジショニングを取ろうと思ってもうまくいかなかったのです。

グルコンで講師や同期にモヤモヤを吐き出しながら思考の整理をしているうちに、私の本当にやりたいことは片づけを教えることではなく、「やりたいことがあるのに自信が持てない人の背中を押してあげたいんだ」と気づくことができました。

そこでアカデミーのカリキュラムに従って『初めての講座開催伴走コンサル』というメニューを作り、4名の方をサポートさせていただいたのですが、これが本当に楽しかったのです。私の中では初めての高額商品でしたが、受けてくださる方がいるというのが大きな喜びと自信になりました。

▼会社員を卒業

2021年を迎えた時には、会社員を卒業なんて1ミリも考えていませんでした。女性が多い職場だったので、「まずは社内にパラレルキャリアという働き方を浸透させ、変えていきたい」、そんな風に思っていたからです。でも、大きな組織を変えるのは簡単ではありません。一生かかっても叶わないようなことを目標にするよりも、コンサルをして喜んでくれる人たちのために生きたい。そう思って4月には決意し、9月には27年間の会社員生活を卒業しました。

卒業の挨拶に回った時、「会社が嫌で辞めていく人ばかりだったので、やりたいことをやるために辞めるという理由が新鮮でうらやましい。応援してるからがんばって」と笑顔で声をかけられたことが印象的でうれしかったです。

▼これからの未来へ向けて

女性が活躍するためには、活躍の仕方を知ることと、チャンスがやってくる環境に身を置くことが重要です。私もエールの中で様々な活躍の仕方を知り、チャンスを掴んできたから不安なく独立することができました。

普通の会社員でもエールとの出会いによって生き方が変わる。それを一人でも多くの女性が知り、チャンスを掴んでもらうために、新しく拝命した広報ＰＲ室リーダーとして、エールプロジェクトの認知拡大に貢献していくことが楽しみです。

実例⑤【再チャレンジ】

営業企画室リーダー
植竹希／メディアディレクター・ライター（フリーランス）

かつての管理職の失敗！セクションリーダーポジションでリベンジ！

▼独立後、仲間が欲しくて

エールに入ったきっかけは、女性の活躍を応援したい想いに共感したとか、そんなカッコイイものではありませんでした。正直に言ってしまうと、会社員を辞めたばかりだったからです。

思えば会社員という肩書きのない自分への不安、寂しさを解消できる場所を探していたのでしょう。45歳の時、私の会社のオーナーは半年ごとに変わって、先行きや業績が不安な時期でした。まだ会社員をやるべきなのか？そう考えていた時に、懇意にしていた取引先から「独立する予定ならスタートアップは何かと大変だから、使ってない会社を使いませんか」というお申し出をいただきました。しかもその親会社から業務委託で仕事もいただけ、さらに会社に関する業務は、親会社の事務担当がやってくださるというありがたい条件。これは乗らない手はない！ということで、会社をお借りし、独立を果たしました。

私の仕事は広報やプロモーション。クライアントありきの業務ですから、もちろん一人ではありません。けれども、同僚や上司、ざっくり言えば仲間がいない。そのような環境で仕事をしたことがなかった私は、すごく寂しかったのです。そのため、いろいろなコミュニティに顔を出すようになりました。その中の一つが、美宝れいこさんが始めたエールプロジェクトというコミュニティでした。

会社員時代、複業家を目指していた私は、彼女が主宰する複業専門の「美宝塾」に入り、「個」のビジネスについて、一から教えていただきました。先見性のある、しかもゼロイチのアイデア豊富な美宝さんが始める「何か」だからきっと面白いだろう、塾で学んだ仲間たちもスターティングメンバーにいる！という安心感もありました。

入ったばかりの頃はイベントに関わらせていただいたり、モニター募集があれば応募してみたりと、気になるものには積極的に手を挙げて関わっていました。何しろ私にとって、大変興味深い内容のものばかりでしたから。

▼「やってみない？」と声をかけられた

エールには、セクションと呼ばれる会社の部署のようなものがあります。その一つ、営業企画室のメンバーに追加募集があることを知りました。エールを紹介して各企業にスポンサーになってもらうという活動で、報酬もシェアされます。その頃、決まったクライアントしか関わっておらず、営業経験のある私は、久々に新しい企業の開拓をやってみたい気持ちがフツフツと沸いてきて、手を挙げました。今までも「手を挙げる」回数が多かったことが、コミュニティ内で私の行動力を加速させていったのかもしれません。

その後すぐに営業企画室にジョインし、試行錯誤して大企業への電話アポイントや、自治体へのアプローチをしていました。その時、知り合いの広告代理店さまの紹介により、ある商材メーカーと企業スポンサーの話ができることになりました。

しかしその矢先、営業企画室のリーダーが本業の多忙により、退くことが決定しました。そこで私は、リーダーとしての後任指名を美宝さんからいただきます。当時はポーカーフェイスを装っていたのですが、心の中は違っていました。リーダー候補になるも、心が折れてしまい、プレッシャーに負けた20代。そしてリーダー職になるも、不可解な理由で1年足らずで降格になった30代での過去があったためです。

オファーをいただいた時、その記憶が蘇り、躊躇する気持ちがありました。またダメになるのではないかという不安があったのです。でもエールの営業企画室にはすでに1年近く、一緒にやってきた仲間がいました。「この仲間となら大丈夫。一人で抱え込まなければ私にもできる」という確かな想いもあって、自然と「やります！」と口に出していたのです。

▼これからもどんどん失敗する

一人で抱え込むと失敗した過去があるのなら、同じことをしなければ良いだけの話です。リーダーになってから、すぐにスポンサー契約を締結できた商材メーカー。その業務におけるミッションは、まず「エールプロジェクト内での認知度をあげること」でした。

エールでは、スポンサーになっていただいた企業には、決まった定型のプロモーションがありますが、その中でいかに工夫するかを営業企画室のメンバーと一緒に考えました。その結果、商材メーカーからは、コミュニティ内でのファン形成について、一定の評価をいただき、契約更新を果たしました。さらに、別プランの契約もいただき、営業企画室の中で業務タスクを分け合うことで、みんなの人となりや得意分野を知ることとなりました。これは、私にとって大きな収穫でした。

さらには「この人はこの点が素晴らしい」「このことは◯◯さんね」などと、一人ひとりの個性の発掘と発見、それを本人に伝えてチャレンジしていく姿を見ることが、ことのほか、自分自身の喜びになっているという気づきもありました。関わる仲間の強みの発掘と発見は、もしかしたら私の強みなのかもしれません。

この商材メーカーのプロモーションは、長期に渡るプロモーションの中、実は失敗も数々あったのですが、この時の私はかつての私とは違っていました。失敗したら、二度と同じ過ちはしなければ良い、失敗が成功に変わるまでやれば良い。そういう「ポジティブな開き直り」ができるようになっていました。会社員時代の苦い思い出となっていたリーダー経験時の失敗も、コミュニティのセクリョンリーダーに挑戦したことで、リベンジが果たせたのではないかなと最近は感じています。

コミュニティは、会社組織では叶わなかったことや、失敗してしまったことでも、挑戦したい気持ちがあれば手を挙げることができます。気持ち次第で道が開ける場です。また自分の体験からも、ずっとそうあって欲しいと願っています。このコミュニティがこれからも活躍したい女性達の背中を押し続けていくのだろうなと考えると、ワクワクします。

実例⑥【相乗効果】

事務局長
杉浦雪絵／3児ママ時短勤務でも4ランク昇給

コミュニティのおかげで本業もプライベートも好循環に！

▼キッカケは「会社員辞めたい」

私は、グループ連結従業員数約14万人規模の大手総合電機メーカーで、正社員として17年働きつづけています。かつ、乳児〜小学校低学年の子ども3児を育てる、39歳のワーキングマザーです。育児短時間勤務を利用していますが、フレックスも併用し残業することもあります。それに加え、エールで事務局として活動する等の『複業』もしています。おかげで友人から「バリキャリ」なんて表現されることもありますが、こんなに仕事に熱意を持てるようになったのは、むしろ「仕事を（会社員を）辞めたくて仕方ない！」という暗黒期がキッカケでした。

30歳で第1子を出産・復職以降、取り組める仕事は徐々に簡単なものばかりになり、働きざかりのはずなのに、新入社員並みの仕事しかできない状況に陥りました。かといって、いつ呼び出されるかわからない不安で、チャレンジングな仕事もできず、子どもの体調不良で休みが増えれば周囲への負担が気になり萎縮。「子どもが成長すれば」と慰められても、その未来が保証されている訳ではない。おまけに、こんなに悩んでいるのは私だけ。夫はリスクを負わず、働き方も変わっていない。「どうして私だけ⁉」こんな思考が堂々巡り、答えも希望も見つからず、会社のデスクで思わず涙が溢れてくるような日々を送っていました。

こんなに悶々と悩み続けるくらいなら、いっそ辞めよう。安心して辞められるように、「副業」を探し確立しよう。そんな時、エールプロジェクトと出会ったのでした。

▼「複業」に救われる

コミュニティに入ってすぐ、固定概念が覆ります。それは、「本気で携わる仕事は一つでなくてもいい」ということです。さらに、「『仕事』として必ずしも報酬を得られなくとも、『社会貢献』という価値が得られる。それが『パラレルキャリア』という生き方である」

ということです。私は仕事をするからにはしっかりと組織に貢献し、報酬を貰えなければ意味がない、という理念に囚われていたのです。だからこそ、自分の貢献度の低さが許せなくて、悔しくて、情けなかったのです。

そこからは、コミュニティ理念の通り、未経験でも挑戦を繰り返します。コミュニティのWEBメディアで専門家コラムを1年間継続し、計12本以上書き上げたり、コミュニティのイベントでビジネスアワードの企画から運営まで携わったりしました。さらに、エールの事務局メンバーとしても選出いただけることとなりました。

コミュニティ運営や事務局経験は全くのゼロ。それでも、運営本部にも加入し、エール新規メンバーへのフォローや、全体イベントの企画運営にも携わりました。しかし、この事務局活動だけで、私の「今の働き方・生き方」が定まった訳ではありません。

▼社外の学び・経験が本業のパフォーマンスを上げた！

転機は、コミュニティに併設している複業を専門に学べるキャリアスクールAile Academy（エールアカデミー）に入学して「キャリアデザインマップ」を描いたことでした。「キャリア」を、仕事の昇進などにこだわるのではなく、「人生の経験すべて」と捉え、どんな人生を歩みたいか、どんな人でありたいか、それを叶える要素の一つとして、どんな仕事をしたいのか、深く深く自分と向き合ったのです。

ここから、急速に私のキャリアが動き出します。キャリアデザインマップを作成したのが、第3子出産後の育休中だった36歳。復職後2ヶ月で希望する部署へ異動すると、目の前の業務だけでなく、キャリアデザインに描いた「やりたいこと」を進めるべく、自主的に組織づくりを推進したいと上司へ宣言。部門を超えた人脈づくりも実行しました。

その後、自部門200名で立ち上げた企画が部門長に一発承認されたり、全社的に目新しい初イベントを企画・開催すると、他部門広報にも取り上げられる評価を得られたり、事業本部長直轄の組織づくりチームへ参画オファーされたりと、想像もしていなかった変化が起こりました。

気づけば復職後たった2年間で、等級は1ランク、昇給は計4ランク、ボーナスも前年比30万円アップまで果たしたのです。この成果が実現できた根っこ こそ、エールで、「失いかけていた自信を取り戻せた」ということだと考えています。

Aile Academyで学んだことで、迷っていた自分の夢や目標をもう一度設定することができ、事務局活動で小さな自信を持つことができました。本業でも挑戦の第一歩を踏み出す時は、不安で不安で仕方なかったのですが、この小さな自信を原動力に、前に踏み出すことができました。

そして、私の夢を知り応援してくれるコミュニティの「人」が、さらに背中を強く押してくれたのです。これらは、本業だけを続けていては、得られるものでなかったと思います。

働き方改革やテレワークが当たり前になっても、まだまだ働く母親には課題が多い今の社会。「会社員を卒業して起業しよう」と簡単に提案している情報も見られます。しかし、エールプロジェクトは少し違います。

まずは、人生の指針を決めるよう促し、さらに、その指針を実現できるような人との出会いや環境、チャンスがいくつも散りばめられています。その経験と実績が自信となり、自分のキャリアを進む背中を押してくれるのです。今では「仕事が楽しい！この感覚で働けてなんて幸せなんだろう！」と感じられるようになりました。

私にとってコミュニティとは、私が私でいられる居心地の良さと、新しい出会いと刺激とパワーを同時にもらうことができる、パワースポットのような場所だと感じています。

実例⑦【強み発掘】

コミュニティリーダー・九州支部長・ＳＮＳ運用室リーダー
宇佐美愛／会社経営・脳科学専門Ｎｏ・２育成家

障害を克服し自分の強みと活かし方が見つかった

▼新たなご縁や環境との出会い

エールプロジェクトというコミュニティとの出会いは、自身のステップアップを考えていた私にぴったりのタイミングでした。私は26歳の時、地元の福岡で法人会社を設立しましたが、見切り発車で起業したこともあり、最初の4年間くらいは利益が全く出ず、という状態でした。その後、改めて経営を一から学び直し、飲食事業や中小企業専門のプロモーション事業など、その他にもいくつかの事業展開をすることができるまでになりました。今年で無事13期目を迎えることができています。

30歳の時、東京で新事業が決まり、新たな環境や業務に追われて多忙な時期を過ごしていました。東京での生活も3年が経ち、事業も一段落し、社内の現場もスタッフに任せられるようになって生活も慣れ始めていた頃です。時間が経つにつれ、自分自身のスキルや経験値はこのまま現状維持だけで良いのか、と悶々としていた時、美宝れいこさんのSNSが目に止まりました。

33歳の時、東京のとあるパーティーがきっかけで、美宝れいこさんに初めてお会いしたのですが、そこでお話ししてみると「女性活躍」を本気で考え行動している方だなと感じました。そこからすぐにコミュニティへ入会したわけではありませんでしたが、最初の出会いからしばらくして、また再会することに。そこで、パラレルキャリアや女性を応援するという思いに共感するとともに、このコミュニティで何かできることがあるかもしれないと考え、正式に参加することを決めました。

エールに参加して、まず私がやりたかったことは、地元である福岡を中心に、九州へパラレルキャリアの輪を広げていくことでした。福岡県の人口は男性よりも女性の方が多いので、エールを通じてそれぞれが個性を活かし、活躍の場を広げるチャンスを広げたいと思っていました。そして、その環境づくりのため、福岡で運営メンバーを募り、最初は5名から福岡支部を始めました。徐々に同じ志を持ったメンバーが集まり、現在では約110名以上の方々と共に、九州を盛り上げていっております。

また、本部運営やコミュニティに併設するパラレルキャリアの専門校 Aile Academy（エールアカデミー）の経営、エールのコミュニティーリーダーなど、他にも様々なセクションに携わっています。

▼自分の障害と向き合う勇気をくれた

私は、一定の文字数を超えると読みづらくなる「失読症」という障害を患っています。症状は軽度なので、私生活にも支障はほとんどなく、周囲に気づかれにくい為、以前はコンプレックスとして隠していました。文字が読めないということが恥ずかしくて、多少無理をしてでも文章を読解しようと頑張っていました（笑）。

そんな考えが徐々に変化してきたのがエールに携わるようになってからです。最初のきっかけは、コミュニティ内で大型イベントのファシリテーターをオファーいただいたところからでした。徐々にファシリテートをすることが増えていき、イベント設計にも関わることができ、様々な場でメンバーとのコミュニケーションをリードしていく役割が増えていきました。

その中で私自身、「言葉で伝える」ということをとても大切にしていることを再発見できました。周りの皆さんからも「言葉の表現がわかりやすく伝わりやすい」と評価していただくことが増え、その時に自分の強みが再発見できたのです。

今も文字の読み書きは人より圧倒的に苦手ではありますが、強みがわかったからこそ、障害を隠すのではなく私なりに向き合おうと決められました。こう思えたのも、この環境に出会えたからです。現在ではそこからさらにトレーニングをして、完全ではないまでも障害をほぼ克服し、連読もできるようになりました。

▼主体性を大切にしている最強のプロボノ集団

エールに参加する前も、様々なコミュニティに所属していましたが、エールが他と異なる特長は、「共創型コミュニティ」ということです。イベント企画や新たな部門の設立など、メンバー同士で意見を出し合い創り上げ、協力し合える環境です。個々の主体性をとても大切にしてくれていることを強く感じられます。また、それぞれのメンバーも主体性があり、責任感を持って活動しています。

好きなことや得意分野の中で活動できるので、自然とスキルも身につき、新たな実績に繋げることができるのも魅力です。だからこそ、各分野で活躍しているプロも多数集まっており、チームで様々なプロジェクトを立ち上げ遂行していけるのでしょう。

▼様々な場所で強みを活かす

エールプロジェクトでは、全てのセクションで個々の強みをメンバー全員が活かしています。もちろん過去に学んだ経験も活かせる場が沢山あります。例えば、私はファシリテーションをさせていただく機会が多いですが、全体の雰囲気を読み取り進行することは、これまでのMC経験があったからです。また、ミーティングやイベントなどでは相手のニーズの掘り出し、数々の営業経験や脳医科学を学び培ってきたことを活かすことができています。

スキルアップしたい方や仲間のつながりが欲しい方はもちろんのこと、自分の強みに悩んでいる方や、コンプレックスを感じて自信を無くしている方にも、まずはコミュニティに関わってみてほしいです。コミュニティには、自分の強みや好きなことを本気で応援してくれる仲間がいる、とても温かい環境が揃っているので、まずは一歩踏み出してみることが大切ですよ。

[第6章]

最強のコミュニティづくり

挑戦編

―ステージアップ期―

ここまで、ゼロからコミュニティを立ち上げる設計についてお伝えしてきました。すべてを通して読んでいただけると、本書はただのコミュニティ構築ステップだけでなく、会社やチームのマネジメントなど、ビジネスに活かせることも多く含まれていると思います。

最後になるこちらの章では、コミュティとして挑戦し続ける「ステージアップ期」についてお話ししたいと思います。コミュニティのステージアップとは、ビジョンを達成するためにより成長・発展していくことです。ただ人数が増えればいいということではありません。それぞれのコミュニティの目的に合わせて、ステージを上げ続けていくことが、コミュニティの継続へと繋がっていくでしょう。

これからの時代は、ビジネスをしている人もしていない人も、さらにコミュニティは重要な存在になっていきます。自分で立ち上げるだけでなく、目的に合わせて複数のコミュニティに属すのも良いですし、一点集中でコミットするのも良いでしょう。大切なのは、コミュニティを通して自分の人生にどう活かしていくかになります。そして、コミュニティオーナーは、そこに属しているメンバーのために進化し続けなければいけません。

ディズニーランドの生みの親、ウォルト・ディズニーは、「ディズニーランドは永遠に完成しない。この世界に想像力が残っている限り、成長し続ける」という言葉を残しました。その真意は「人々に何度も来てもらい、愛され続けるには、常に新しい夢とアイディアでパークを改良し続けていく必要がある」とされています。コミュニティにおいても同じく、自分が歩みを止めない限り終わりはありません。オーナーには、コミュニティを立ち上げた時に描いたビジョンを達成するために、コミュニティを進化させ続けていく責任と覚悟が必要なのです。メンバーが喜ぶような、新しいコンテンツやプロジェクトを生み出していくことで、成長し続けることができるでしょう。

ちなみに、私の座右の銘は「変化し続けるものが生き残る」、人生のテーマは「死ぬまで挑戦し続ける」であり、変化も挑戦も進化していくためには必要だと思っています。

コミュニティの可能性を無限大にし、ステージを上げるためには何をすればいいのか？それはまずビジョンから逆算をして、上がるステージを決めることです。闇雲に進むのは、まさに私が3回挫折した時と同じ状態になります。

現状から「今できること」を組み立てていく考え方をフォアキャスティング思考といいます。現在を起点にして目標をつくっていくやり方で、段階を踏んで達成したいことであれば、このフォアキャスティング思考が有効になるでしょう。

逆に大きな挑戦をしたい時は、未来＝ビジョンを起点に逆算して、「今やるべきこと」を見つけていくバックキャスティングで考えていくのがいいでしょう。できる・できないという枠にとらわれずにアイディアを出すことができるので、特にステージアップ期ではこの逆算思考で考えていくのがおすすめです。

エールプロジェクトのステージアップとしては、コミュニティ内で創業メンバーを募り事業化に挑戦する「10Leader'sプロジェクト」という企画が2022年よりスタートしました。このプロジェクトでは、ママが地元商品サービス等に特化したイベ

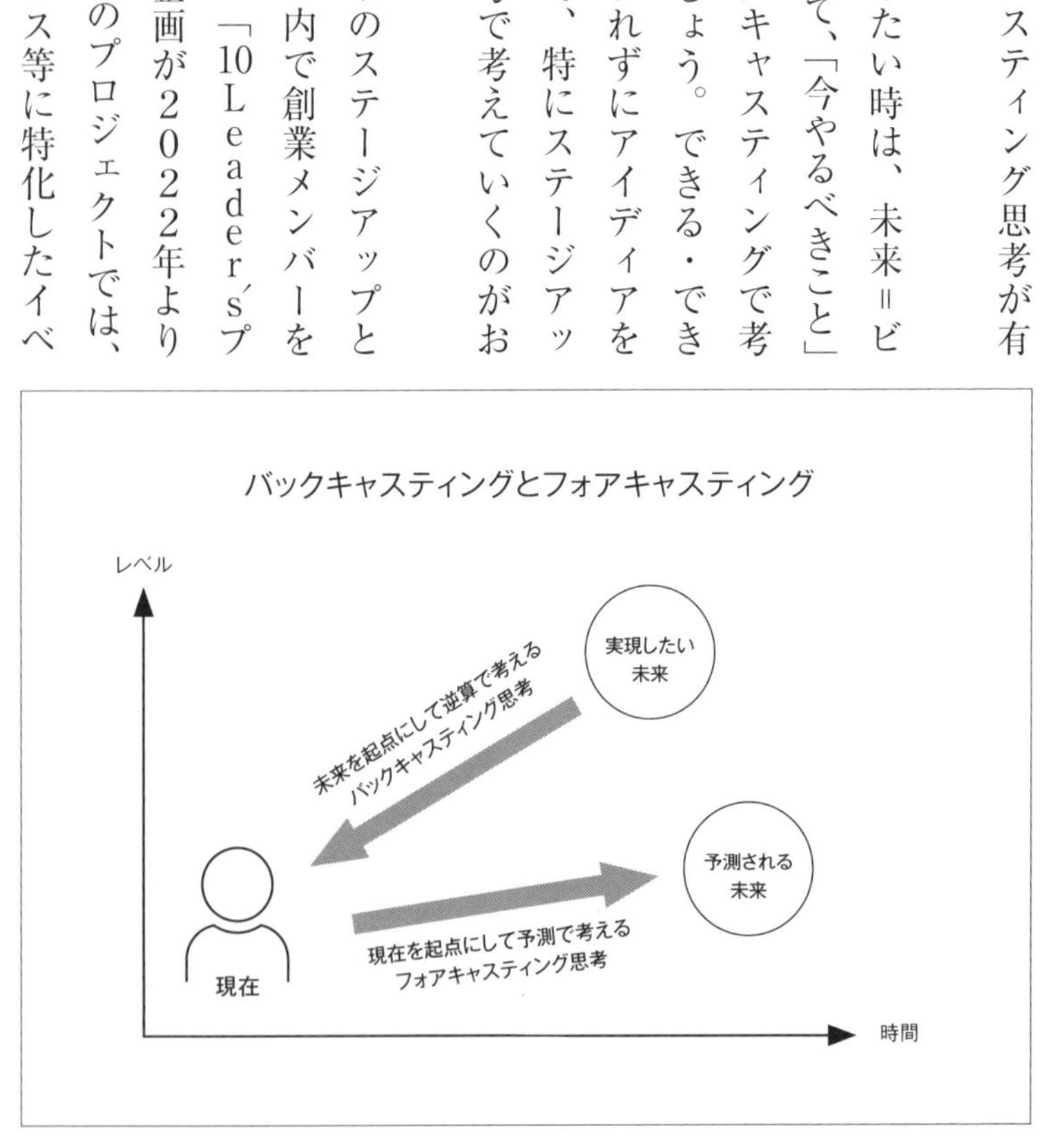

ント・ワークショップ運営する「ママ×地域活性化事業」、伴走型サポートで企業課題を共に解決する「インスタグラム事業」、社員のエンゲージメントを高める企業研修の「コミュニケーション事業」の3つの事業が立ち上がっています。

さらに、ステージを上げていく大きな挑戦として、「ウーマンエコシステム」という取り組みをしています。これはエールがすでに形にしているコミュニティ×スクール×プロダクションの仕組みを、自治体や企業と連携しながら地方を中心に導入し、女性活躍推進×地方創生に貢献していくものです。私たちのビジョン達成に大きく近づく取り組みです。

これらの大きなステージへの挑戦は、一般的に考えたらコミュニティの域を超えていると思います。周りからも「まるで会社のような組織だね。」と言われることも多々あります。しかし、これらのアイディアも女性が活躍できる社会を創るというバックキャスティングから生まれたものです。

エールプロジェクトは、女性の活躍を応援しているのでこのような事例になりますが、コミュニティにはそれぞれ目的やビジョンがあるので、そのコミュニティに合わせたステージアップのやり方があります。独自のプラットフォームを開発することや外部とのコラボを増やすこと、エールのように事業化していくこと、など運営メンバーでアイディアを出してみましょう。

ステージを上げていく時に大切なのは、そこに属しているメンバーが欲しているものや、喜ぶものを取り入れ追求していくということです。いくらビジョンを達成できるからといっても、コミュニティメンバーが望まないことを導入していくのは、本末転倒になるので気をつけましょう。

ステージを上げて大きな挑戦をしていくには、一人では限界があり、ステージが上がれば上がるほど、メンバーの協力は不可欠になります。現在、エールプロジェクトには、運営に携わってくれているメンバーが１００名ほどいます。基本的に活動に対しての金銭的報酬はありませんが、それでも、これだけ多くの方が関わってくださるのは、お金だけでは得られない、ビジョンへの強い共感や自身のスキルアップ、やりがい、楽しさ、などを還元として受け取っていただいているからだと思います。仲間の協力を得続けるためには、どんな困難な状況であってもオーナーが誰よりも行動し、旗を振り続けることが大切です。

色々とお伝えしてきましたが、私のコミュニティもまだまだ発展途上であり、課題も成果も果てしなく向き合うことが多くあります。まさにステージアップ期です。私自身、３６５日コミュニティのことを考えており、どんなコンテンツならメンバーの活躍の場を創出できるのか、日々試行錯誤しています。そして、提供したコンテンツでエールメンバーがどんどん活躍していくことで、それが日本中の働く女性のエールにつながると信じています。そのために、これからも循環型共創コミュニティ「エールプロジェクト」を育てていくつもりです。本書を参考に、ぜひあなたもコミュニティづくりに挑戦してみてください。世界でたった一つの素敵な想いに溢れたコミュニティが誕生するのを願っています。

おわりに

本書は、カリスマでもインフルエンサーでもない、一般の方が「最強のコミュニティ」をつくるための教科書です。ステップごとに分けて、できるだけシンプルにやることをまとめました。必要に応じてマーケティング用語なども出てくるので、一回読んだだけではちょっと難しく感じてしまったり、不安になってしまう人もいるかもしれませんが、熱い想いと本書があれば、きっと思い描いたコミュニティをつくることができるはずです。

また、コミュニティづくりのノウハウだけでなく、チームビルディングやマネジメントに活用できる内容も入っているので、組織でリーダーを目指す方もチームづくりの視点でお役立ていただければ嬉しいです。

冒頭でもお伝えした通り、私は3回のコミュニティづくりに挫折し、4回目で3000名を突破するコミュニティにまでスケールさせることができました。ここまでの道のりは決して楽でも平坦でもなく、山あり谷ありでしたが辞めたいと思ったことは一度もありません。なぜなら、コミュニティという存在が私の生きるエネルギーそのものだからです。

コミュニティのメンバーと一緒に日本の女性活躍推進と複業推進に貢献し、すべての女性たちにパラレルキャリアを届ける！という大きな夢に挑戦すること。何よりも、コミュニティメンバーの方々がエールプロジェクトという環境を通して仲間ができたり、一歩踏み出していく姿を応援できるのは、コミュニティオーナーとして最高の幸せです。

この最強のコミュニティをゼロから構築できたのは、創業メンバーである、井上ハルナさん、朝賀ちひろさんの存在が大きくあります。また、3Leader'sとしてエールプロジェクトを牽引してくれている、宇佐美愛さん、田中ななさんの多大なる貢献と、コミュニティ全体のことを考えてくれている本部メンバーの皆さん、各支部を盛り上げてくれている支部長や支部運営の皆さん、各チームをまとめてくれているリーダーの皆さんと運営メンバーの皆さんなど、１００名近い運営メンバーの方々のご協力のおかげでコミュニティが成り立っています。本書が書けたのもエールプロジェクトに関わってくださっているすべての方々のおかげです。心より感謝申し上げます。

そして、この本を書くにあたりたくさんの応援とご協力をいただきました。まず企画を形にしてくださった、株式会社ぱる出版の皆さま、担当していただいた編集部の皆様さま、本当にありがとうございました。また、いつも裏方として私の活動や壁打ちなど、公私にわたり、全面サポートをしてくれる、夫（Ｈａｒｕｋｉ）にも心より感謝を伝えたいと思います。ありがとうございました。さらに、本書を手にしてくださったすべての方に、御礼申し上げます。最終ページに私と実例7名のＳＮＳメディアとエールプロジェクトの情報を掲載しておきますので、お気軽にお友達申請や参加申請をしてください。本書のご感想などもお寄せいただけると、とても嬉しいです。

そして、読者プレゼントとして、章に沿ってコミュニティ設計ができるテンプレートもご用意しました。ぜひ、左記よりダウンロードしてコミュニティづくりにご活用ください。

コミュニティで皆さまの人生がより豊かになるよう、心より願っております。

最後までお読みいただきありがとうございました。

２０２３年7月　エール株式会社／パラレルキャリア推進委員会®代表　美宝れいこ

第５章の
７名の実例紹介

〈読者特典〉
コミュニティ設計書の
ダウンロードプレゼント

エールプロジェクト
参加はコチラ
女性ならどなたでも
ご参加いただけます！
（無料コミュニティ）

美宝れいこ（みほ・れいこ）

複業・起業経験を生かしパラレルキャリアコンサルタントとして2016年に独立。延べ1,500名以上にパラレルキャリアのコンサルティングや働く女性交流会のイベントを開催。2019年にパラレルキャリア推進委員会®「エールプロジェクト」を正式に設立し、わずか3年半で国内・海外3,000名以上の働く女性が在籍する女性支援団体（コミュニティ）を組織化。女性活躍推進と複業推進を掲げ活動中。そのほか、企業顧問や審査員、講演活動などにも取り組んでいる。

mail：miho@aile-official.co.jp

人生を変える最強のコミュニティづくり
人々を結びつけ、共感を生む方法

2023年8月16日　初版発行

著者　美宝れいこ
発行者　和田智明
発行所　株式会社ぱる出版

〒160-0011　東京都新宿区若葉1-9-16
03(3353)2835－代表　03(3353)2826－FAX
03(3353)3679－編集
振替　東京　00100-3-131586
印刷・製本　中央精版印刷(株)

ISBN978-4-8272-1373-7　C0034